La furia de la langosta

Duomo ediciones ⊙ nefelibata

La furia de la langosta

Lucía Puenzo

Barcelona 2011 **Duomo ediciones**

© Lucía Puenzo, 2010
*by arrangement with Literarische Agentur Mertin,
Inh. Nicole Witt, Frankfurt, Germany*
All rights reserved

Primera edición en esta colección: marzo, 2011

© Antonio Vallardi Editore, Milano
Duomo ediciones es un sello de Antonio Vallardi Editore
Calle La Torre, 28 bajos 1.ª Barcelona 08006 (España)
www.duomoediciones.com

Grupo editorial Mauri Spagnol S.p.A.
www.maurispagnol.it

DEPÓSITO LEGAL: B. 43.852-2010
ISBN: 978-84-92723-84-3

Diseño de interiores:
Agustí Estruga

Fotocomposición:
Grafime. Mallorca, 1. Barcelona 08014 (España)
www.grafime.com

Impresión:
Grafica Veneta S.p.A. di Trebaseleghe (PD)

Printed in Italy – Impreso en Italia

Sumario

El playroom hay que allanarlo

1

Después de cinco intentos de secuestro en doce meses, reforzaron la seguridad: de tres a seis guardaespaldas, uno por cada miembro de la familia. La regla era informarle a Bruno, su custodio, sobre cualquier cosa rara. Por *cosa rara* se entendía miradas de extraños, palabras de extraños, llamados de extraños y todo contacto con alguien que no fuera de su *círculo,* la palabra preferida de su familia. La usaban para hablar de los amigos, las empresas y el hípico donde entrenaban tres veces por semana los pura sangre que les mandó un tío desde Texas. Aquel día, a Tino le partieron dos dientes en el colegio; Maia le pegó una piña y le cortó el labio con el anillo de Twitty que él mismo le había regalado.

—Mi papá dice que sos un ladrón hijo de puta —dijo.

Sus amigos la ayudaron a pegarle; gritaban lo mismo: *Ladrón.*

Los separó la maestra.

Bruno entró corriendo en la enfermería y agarró su cara para mirarle el labio recién cosido. La enfermera le dio los dientes en un frasquito y abrió la boca para decir algo, pero Bruno la hizo callar con la mirada. La gente le tiene miedo: él los mira y se callan.

–Tres puntos en el labio y dos dientes de leche –dijo Bruno al celular, mientras manejaba.

Ahora era él quien tenía miedo; miró a Tino por el espejo retrovisor.

–No hablaba de vos, esa nena.

Debería cerrar la boca.

–¿De quién hablaba?

Podía costarle el trabajo seguir hablando.

–¿Quién se llama igual que vos?

Tino lo miró con lágrimas en los ojos, el labio latiéndole más fuerte que el corazón. Aún no lo sabía, pero su papá iba a explicárselo esa misma noche: prófugo es un hombre que desaparece para que no lo atrapen. Esa tarde lo llamó al celular para avisarle de que lo esperaba a las doce en punto de la noche en el comedor. No era la primera vez que lo citaba de esa forma, por teléfono, aunque vivieran en la misma casa.

Irma está afuera, esperándolo. Ha criado dos generaciones de Razzanis. Se fue de Paraguay días antes de cumplir los trece, directo desde Encarnación al oasis de Barrio Parque en el que su madre trabajaba como empleada doméstica desde hacía quince años. En esa época, Valentino Razzani, el padre de Tino, era un adolescente que recién empezaba a trabajar en una de las empresas familiares.

–Quieto –dice la paraguaya, treinta años después del desembarco.

Dejame ver.

Le agarra la cara para mirar el labio cosido.

–¿Te duele?

Tino niega, tan anestesiado que no siente ni las lágrimas.

–¿Papá es un ladrón hijo de puta?

Irma se agacha para mirarlo a los ojos.

–¿Maia te dijo eso?

Asiente, el sí aposentado en el estómago como una granada.

–Aprendé de él: si alguien te traiciona, está muerto.

Cuando piensa en Maia (muerta), Tino siente que alguien lo está estrujando con una mano atrás y otra delante. Encerrado en su cuarto, espera su llamado. El teléfono suena a las cinco en punto, como todos los días. Durante tres minutos juegan una pulseada de silencio: el perdedor es el que habla primero. Irma espera del otro lado de la línea; escucha las respiraciones de ambos desde el teléfono de la cocina.

–¿Sabés qué dice el diario?

Tino no responde, no hace falta.

La perdedora lee:

–La Justicia ordenó el arresto de Razzani, acusado de va-cia-mien-to...

La última palabra cuesta, deletrea las sílabas.

Irma ordena:

–Cortá, Valentino.

Pero Maia sigue, mientras Irma corre escaleras arriba:

–... en la causa abierta por el cierre del Banco...

Tino interrumpe (tienen segundos):

–¿Qué es *vaciamiento*?

Maia improvisa:

–Va a ir preso.

La puerta se abre de golpe, la manija se clava contra la

pared por el ímpetu con el que Irma se abalanza hacia el teléfono.

–No vuelvas a llamar –dice, sin aliento.

Y corta.

¿Querés saber de qué lo acusan?

Dice el mensaje de texto que le manda Maia diez minutos después. Tino mira la pantalla del celular; quiere decir que no, pero no puede.

El silencio alcanza:

Subversión-económica-agravada
-asociación-ilícita-violación-de-la-ley-penal-tributaria

No tienen idea de lo que quiere decir, ni la que escribe ni el que lee, pero ella no duerme en toda la noche. Sabe que él está llorando.

Esa noche Tino hace fuerza para quedarse despierto. Tambalea en la recta final. Se levanta y da vueltas. Mientras las agujas del reloj pulsera terminan de alinearse, avanza por el pasillo en dirección al comedor. Todas las mujeres de la familia duermen. A varios metros de la puerta huele el Cohiba que Razzani trae cada vez que viaja a La Habana. Abre la puerta del comedor a las doce en punto. Lo primero que ve es la mesa de vidrio repleta de billetes de cinco pesos, decenas de fajos apilados, uno al lado del otro. Razzani está sentado frente a la ventana.

–Es todo tuyo.

Está emocionado; se da cuenta por la forma en que le sale la voz.

–Contalo.

Más ronca que de costumbre.

–Quiero verte contarlo.

Hay algo más. Urgencia.

–Empezá.

Se humedece la punta del dedo índice como él le enseñó. La aspereza del primer billete le hace cosquillas. Razzani no lo interrumpe ni una sola vez, aunque tarda más de una hora en contar los quince mil pesos. Cuando termina imita el gesto que tantas veces le vio hacer a su padre: inspira hasta la última pizca del olor que tiene en la punta de los dedos, llenándose los pulmones con tanto deleite que por un instante percibe el rastro de todos los que manosearon esos billetes antes de que llegaran a él. Y eso, en lugar de asquearlo, lo hace sentirse adulto. Después de todo, esa noche cambia de dígito: cumple diez años. Llegó el tiempo en que su padre prometió enseñarle a cazar.

–Sentate al lado mío –dice.

El olor del Cohiba lo impregna todo: su escritorio, su ropa y su piel.

–Probá –le ofrece, al ver cómo lo mira–. El humo no mata a nadie.

Razzani siempre habla así: con reglas, normas y certezas.

Tino aspira, llenándose la boca de humo, traga, los ojos se le inundan de lágrimas, tose hasta quedarse sin aire, pero aun así no puede arrancarse la oleada de náusea.

–¿Te gusta?

Miente por temor a defraudar la complicidad que brilla en los ojos de Razzani. Mira los binoculares de acero que apoya en sus manos y susurra:

–¿Para los patos?

Cada fin de semana, en uno de los campos de Lobos, Razzani y sus elegidos cazan patos y jabalíes.

–No, la caza va a esperar.

Recién ahí Tino se da cuenta de que está vestido para salir.

Tiene los zapatos y el abrigo puestos.

–Tu primera herida de guerra –dice, mirándole el labio.

Esa noche se despiden.

Razzani le explica que tiene que irse por un tiempo, quién sabe cuánto. Le pide que guarde los binoculares y los billetes, que los usará en unos meses.

–Mañana voy estar en todas partes –dice–. No creas nada de lo que leas, es todo mentira.

Valentino no se anima a preguntar cómo se puede estar en todas partes al mismo tiempo, ni para qué otra cosa que no sea cazar puede usar unos binoculares. No se anima a decir que unos meses es una eternidad. No pregunta si los diarios pueden mentir. Lo deja hablar.

–No creas nada de lo que escuches –repite Razzani.

Pasa la punta del dedo índice por su labio cosido.

–Te va a quedar bien esta cicatriz.

No hay forma de frenarlos: tienen una orden firmada por un juez federal. Irma mira las dos camionetas de gendarmería estacionadas en la puerta. Quince hombres se preparan para entrar en la casa con las botas manchadas de barro. Pide un minuto para encerrar a los chicos en el playroom.

–El playroom también hay que allanarlo –dice el gendarme.

Los dejan parados en fila india al lado de la puerta, a Tino y a sus dos hermanas. La menor, Juana, tiene los ojos desorbitados; ríe y llora a intervalos, dependiendo de la cara de cada gendarme. La mayor, Sonia, los mira con el desprecio de una virgen. Juntos y en silencio por una vez en la vida, miran el amanecer por los ventanales que dan al jardín. Hasta ahí afuera revisan, hasta la casa en el árbol. Tino sonríe: su padre los venció a todos, se les adelantó por horas. Juega mejor que nadie. Su madre sigue a los que allanan de un cuarto a otro. Grita. No por la violencia con la que revisan cada rincón; grita por el estado en el que dejan su casa.

En el cuarto de Valentino, debajo de la cama, un gendarme correntino encuentra cientos de billetes de cinco pesos. Pero no es lo que buscan.

Ese día los hacen faltar al colegio. Irma les prohíbe encender el televisor. En la cocina no se escucha la radio, no hay diarios ni revistas; las cortinas que dan a la calle están corridas. Sólo pueden tomar el aire en el jardín. Oyen un murmullo de voces –cientos de voces–, como si estuvieran rodeados. Juana propone a Tino una expedición al altillo para espiar el mundo. Él lleva los binoculares colgados del cuello. El último tramo de la escalera lo hacen cuerpo a tierra.

–Los voy usar en unos meses –dice.

–¿Para qué?

--No te puedo decir...

Clava los ojos de acero contra el vidrio de un ventiluz, entre dos pliegos de cortina: a través de los binoculares ve los lagos de los canales. Están todos (las pelotas, el sol y los cubos) estampados en las camionetas. Un campamento de cámaras.

Dos pisos más abajo, escondida en su cuarto, Sonia mira el programa que el padre de Maia tiene en la televisión. Se llama *El Cazador*. Al principio del programa, el Cazador pincha en un palo la foto de una cabeza de cartón. Después, los invitados la destrozan. Ese día, la que está en el palo es la cabeza de su papá.

2

Al Cazador le gusta decir que es un producto de su tiempo: no tiene la menor intención de hacer justicia ni de cambiar el mundo; su único objetivo es marcar tendencia. Nada le gusta más que inventar trampas para ganar un punto de rating; atrapa televidentes como moscas. Vive empalagado por el cinismo de su mirada sagaz, regodeándose en los firuletes de sus preguntas. Es un buen padre y un marido ejemplar, aunque mantiene su líbido dormida hasta que se encienden las cámaras. Lo que lleva de regreso a su casa, lo que le entrega a su familia cada fin de semana, es apenas una cáscara.

Sin embargo, fue en un acto escolar que su destino periodístico cambió para siempre. Otro de los padres, un empresario de la industria automotriz venido a menos, le señaló a un hombre que aplaudía mirando el escenario.

–¿Sabés quién dicen que es ese?

–¿Cuál?

–El grasa –dijo, y señaló a un hombre con gemelos de oro, piel mediterránea y una dentadura visiblemente falsa.

No era la primera vez que el Cazador lo veía, pero nunca le había prestado la menor atención. Su ropa, su porte, su pelo teñido y el exceso de joyas... todo indicaba que era uno de los nuevos ricos textileros que habían ido poblando el colegio en los últimos años. Así lo había catalogado el Cazador, y no como el fantasma que desde hacía meses rastreaba los medios, enloquecido por el rumor de que hubiera un mismo hombre detrás de las decenas de testaferros que se repartían los cinco holdings más poderosos del país. El Cazador manoteó la cámara de mano de su esposa, enfocó a su hija –que bailaba sobre el escenario dedicándole cada uno de sus giros–, y se desvió luego unos centímetros para sacarle cinco fotos al hombre que iba a ser su definitivo salto a la gloria televisiva.

Al hacer foco en Razzani, una serie de detalles cobraron sentido: el Cazador estaba acostumbrado a los guardaespaldas (en ese colegio ya era más común tener uno que andar solo), pero en los últimos *Family Days* que había pasado en un campo de deportes de Punta Chica, el olfato para la primicia del Cazador había detectado una metodología nueva: hombres sin traje ni uniforme, pero sin niños, circulaban entre la gente, asegurándose de que el lugar estuviera liberado...

¿Para quién?

¿Cuál de todas las familias le sumaba a su custodia personal grupos de avanzada?

Días después de que el Cazador entregara las fotos a la cúpula periodística del canal –con un contrato firmado para tener la primicia–, llegaron las primeras confirmaciones: los Razzani tenían varios círculos de custodios. El primer círculo era la custodia personal, una para cada miembro de la familia, pero a ellos se les sumaba la custodia *en tránsito:* adelantados que rastrillaban el lugar minutos antes de que ellos llegaran. Contaban además con el apoyo de patrulleros de la Bonaerense, estimulados por regalos mensuales que se recibían en la comisaría con puntualidad alemana.

Ese fue apenas el primer descubrimiento.

Ahora que tenía cara y nombre, el escudo de Razzani –su anonimato– empezó a resquebrajarse: por debajo, a borbotones, salió a la luz un entramado infinito de relaciones con testaferros y empresas no declaradas. Cuando el gerente del canal recibió la llamada de una de las agencias del Gobierno preguntando qué pensaban hacer con esa información, reunió a los íntimos para brindar con champagne: tenían en sus manos la primicia periodística del año.

El Cazador esperó al siguiente acto escolar y se ubicó, con un supuesto tío de Maia –que era en realidad el mejor camarógrafo del canal– a tres filas de distancia de Razzani. (Bruno nunca se perdonó no haber visto al tío desviando su cámara una y otra vez. El ambiente escolar y la emoción de ver a Tino cantando *Imagine* en medio del escenario le hicieron bajar la guardia.) La cobertura del reportaje fue extensa y completa: no solo se llevaron imágenes de Razzani, sino también de su mujer, de sus tres hijos y de cada uno de sus custodios.

En el entreacto, el falso tío se levantó, salió del salón y se subió a un auto que no se detuvo hasta que llegó al canal. El Cazador esperó el llamado y confirmó que tenían las imágenes bajo llave antes de seguir a Razzani por uno de los pasillos del colegio. Bruno esperaba a metros de la puerta, mirando los dibujos multicolores de los monstruos que imaginaban los alumnos de primer grado. Trataba de relajar los pectorales, que le ardían por el exceso de ejercicio de los últimos días. Un vaho de perfume le hizo darse la vuelta: el Cazador se acercaba a paso lento, con las manos en los bolsillos. Por reflejo, Bruno se cruzó en el camino del extraño.

–Supongo que el baño de nuestros hijos es público, ¿no?

Sin detenerse, el Cazador esquivó a Bruno. Una vez adentro, se acercó a Razzani como quien rodea a una fiera acorralada, alerta pero sin apuro. Se paró a su lado y se bajó el cierre del pantalón con la vista clavada en unos azulejos pintarrajeados. Disfrutaba de antemano de todo lo que estaba por venir. Para aquietar su excitación, silbó el himno escocés del colegio y hasta se animó a murmurar el estribillo en latín. Razzani no lo miró a los ojos ni una sola vez. Estaba acostumbrado a evitar el contacto visual con los payasos. Y este era uno, no tenía dudas. Se enjabonó las manos, las frotó durante quince segundos y las secó debajo de un rabioso torrente de aire. El Cazador esperó hasta verlo caminar hacia la puerta antes de atacar.

–¿Razzani? –Lo detuvo a punto de cruzar el umbral.– Soy...

Recién ahí Razzani lo miró, y confirmó sus sospechas: era un payaso, pero el más peligroso de todos.

–Ya sé quién sos.

–Nuestros hijos son compañeros de aula –dijo el Cazador, mientras se le acercaba con una sonrisa de encantador de serpientes–. Le daría la mano, pero mejor me las lavo primero...

Su risa se estrelló en los azulejos sin que Razzani parpadeara. Y algo en su mirada debió de darle miedo, porque se lanzó sin más preámbulo a conseguir lo que venía a buscar.

–Hoy a la noche le voy a dedicar mi programa.

–¿Perdón?

–Tenemos imágenes suyas que vamos a lanzar al aire esta noche, con un informe.

Razzani soltó el picaporte y dejó que la puerta se cerrara a sus espaldas. Quedaron enfrentados a un metro de distancia.

–¿Un informe...?

El Cazador abrió la boca para decir que sí, pero no articuló ningún sonido. Era la primera vez en su vida que le fallaban las cuerdas vocales.

–¿Sobre qué?

–Usted.

Bruno abrió la puerta en ese instante. Un gesto de Razzani alcanzó para hacerlo salir.

–Quiero pedirle que también me conceda una entrevista.

–Yo no concedo entrevistas.

–Hasta hoy.

–¿Perdón?

–Hasta hoy no concedía entrevistas –arremetió el Cazador, envalentonado–. Plantéeselo como una defensa. Le ofrezco que le ponga voz a la cara que el país entero va a conocer en pocas horas.

A Razzani –que no se había enfrentado a la prensa jamás, porque hasta ese instante no era nadie– la propuesta le resultó más violenta que un intento de secuestro. Respondió como estaba acostumbrado: atacando.

–¿Vos sabés lo que estás por hacer?

–Le ofrezco un derecho a réplica –insistió el Cazador.

–Me vas a fusilar.

–No exagere, Razzani...

–Sacar una imagen mía en los medios es lo mismo que pegarme un tiro en la frente.

El Cazador sonrió agradecido. Frases como esa eran suficientes para sostener una carrera, y él tenía un micrófono escondido en la corbata.

Razzani salió del baño discando el número de Arnaldo, un hombre con facciones de emperador romano que Tino conocía desde siempre. El más sinuoso de los aliados de Razzani, además de ser el abogado de la familia, era también el padrino de Juana. Pasaron el resto del día encerrados en el escritorio de la casa de Barrio Parque, entre amenazas y treguas que no llegaron a nada: el canal no aceptó testaferros ni voceros, y Razzani no aceptó dar la cara.

A las diez en punto de la noche, cuarenta puntos de rating se sentaron frente a las pantallas de sus televisores para conocer al hombre que jugaba al golf con el presidente todos los fines de semana. En la residencia de Barrio Parque fue tan grande el sacudón, que Tino y Juana alcanzaron a ver dos bloques del programa, olvidados en la cocina entre mucamas y guardaespaldas, antes de que Irma les ordenara subir a sus cuartos. Lo que ni ella ni nadie podría haber imaginado es que ese programa fue tan informativo para ellos como para la audiencia de millones. Ahí estaba, explicado para que lo entendieran hasta los niños: las decenas de empresas que Razzani no declaraba como suyas, las alianzas, testaferros y prontuarios de los custodios que manejaban su aparato de seguridad. En el último bloque, el Cazador, hinchado de orgullo, miró a cámara con el dedo índice extendido.

–¡¿Quieren más?! –le gritó a la tribuna– ¡¿Quieren su voz?!

–¡Síííí! –aulló el centenar de buitres que trabajaban de extras.

–¡Acá la tienen!

En la cima de su orgasmo mediático, el Cazador señaló la pantalla: sobre las imágenes de Razzani riéndose y aplaudiendo a su hijo sobre el escenario, el audio de una única frase se repitió hasta el infinito: «Sacar una imagen mía en los medios es lo mismo que pegarme un tiro la frente». Al día siguiente esa frase iba a recorrer los titulares de todos los medios, hasta en países que Tino desconocía.

De la noche a la mañana, la vida de todos se transformó por completo. Ahora que cada una de sus acciones era noticia, dejaron de ser personas para convertirse en personajes a los que la prensa seguía día y noche con una ansiedad sin lími-

tes. Y el colegio era el foco del huracán: las crónicas ama-
rillas se regodearon en cada uno de los detalles de la tarde
en que los caminos del Cazador y de Razzani se cruzaron
por primera vez, en un baño hecho a medida para los alumnos de primer grado. Las autoridades del colegio salieron a
pedir que no metieran a los niños en todo aquello, y en un
acto de ingenuidad pusieron temas de Michael Jackson por
los altoparlantes, apuntando a conmover a los medios que
mantenían el colegio rodeado, con guardias periodísticas en
la puerta y fotógrafos trepados en cada árbol, pero sin conseguir el más mínimo efecto.

Apenas tres días después de que ese primer informe saliera
al aire, Arnaldo llamó al Cazador y le dijo que aceptaban
ir al canal con dos condiciones: la primera, que el programa
no fuera en vivo y que se firmara un acuerdo para enmar-
car los límites de la entrevista; la segunda, que no volviera
a meterse con sus hijos.

El Cazador aceptó de inmediato.

Muchos decían que él no era más que un títere, un idiota
empalagado por su propio éxito; la punta de un iceberg que
se hundía en las profundidades con una pulseada de números millonarios: de un lado, la furia del que se creía un into-
cable; del otro, los titiriteros que nunca mostrarían la cara,
aunque defendieran (mientras les fuera útil) al bufón que
sacudía el avispero ante las cámaras. Y, en el medio, el botín
de guerra: el desembarco de empresas extranjeras en un país
todavía dominado por monopolios que apuntaban siempre
a un mismo hombre.

Los días siguientes Razzani no salió de su casa. Arnaldo y Marlene, su histórica secretaria, se instalaron las veinticuatro horas para preparar la primera entrevista que Razzani iba a dar en su vida. No podían correr riesgos; el living se transformó en un pequeño set al que llevaron dos cámaras, luces y una docena de extras (todos de confianza: mucamas y guardaespaldas), suficientes para que el simulacro cumpliera su objetivo: someter a Razzani a un interrogatorio que en aquella ocasión llevaría a cabo, con secreto deleite, un ex periodista que se encargaba de las relaciones públicas de sus empresas.

Tino volvió del colegio para encontrar a su papá sentado en un sillón que nunca había usado hasta ese día, maquillado y peinado para salir a escena, junto a un extraño que terminaba de acomodarle un micrófono inalámbrico en el saco que Irma había planchado para la ocasión. En ese mismo instante, una maquilladora le secaba la frente, que ya empezaba a transpirar. El niño avanzó hasta que Bruno lo detuvo con un gesto y un pedido de silencio.

–¿Qué va a hacer? –susurró, un instante antes de que encendieran las cámaras.

–Está practicando.

–¿Para qué? Si no es actor...

Bruno vaciló unos segundos antes de responder.

–Para estar seguro de lo que dice. La gente de la tele es peligrosa.

Tino, que ya no miraba a su papá de la misma manera desde el informe que vio en el aire, no hizo más preguntas. Escuchó en silencio la entrevista, que empezó con una pequeña provocación del ex periodista (*¡Piedra libre para*

Razzani!), que apenas disimulaba la satisfacción que le despertaba la luz verde para sacudir a su jefe durante una hora.

Pero nada podría haber preparado a Razzani para la jauría de hienas que lo esperaba hambrienta en el piso del canal. Mientras el Cazador se relamía de antemano, Razzani midió a cada uno de sus oponentes en silencio, aprovechando los preparativos para estudiar los detalles de sus gestos. Al fin y al cabo, no había llegado hasta donde estaba por casualidad: de todas sus armas, la seducción y el filo de su lengua eran las más efectivas.

Cuando las cámaras se encendieron por segunda vez, ahora para grabar cada una de las palabras con las que Razzani sería absuelto o juzgado por ser quien era, Arnaldo se acercó al productor con el acuerdo en la mano, listo para cortar la grabación ante el más mínimo exceso. Sin embargo, nadie había imaginado lo que iba a pasar: aun con un sinfín de pausas y un discurso repleto de contradicciones, Razzani desplegó todo su encanto hasta doblegar a cada uno de los panelistas. El Cazador fue el único que resistió, y hasta hizo enfocar a los custodios para preguntarle por el oscuro prontuario de los hombres que lideraban su aparato de seguridad.

Arnaldo levantó la mano para pedir el corte. Razzani lo detuvo con un gesto discreto.

–Si me lo permiten, quiero poner toda la información de mi personal a disposición de la Justicia... ¿Tengo un minuto más?

El Cazador asintió, engatusado por la gentileza de su oponente.

–Quiero contarles la historia del jefe de mi custodia.

Con un gesto de Razzani, que ya manejaba a los camaró-grafos como si hubiera nacido en un set, una de las cáma-ras enfocó a Bruno, que escuchaba en silencio en un rincón oscuro. Así, sin aviso, un primer plano lo arrancó también a él del anonimato, desplazándolo a la intimidad de miles de hogares porteños.

–Ese señor que ven ahí era un cabo de la Policía Fede-ral cuando nos conocimos. Por ese entonces mi hija mayor tenía nueve años y había salido a dar una vuelta con nues-tro perro; la última vuelta que dio en su vida sin un custo-dio. Un hombre a bordo de una Trafic se acercó a pregun-tarle por una calle y otro abrió la puerta de atrás, la empujó adentro y arrancaron. Ese hombre de ahí vio todo el inci-dente fuera de su horario de trabajo, desde su auto. Solo, sin refuerzos y sin la obligación de arriesgar la vida, siguió a la Trafic desde un barrio de la Capital hasta el Camino de su Cintura. Desde el celular le fue indicando el recorrido a cinco móviles de la Comisaría 31 que finalmente le cerraron el paso a la Trafic a metros del Puente la Noria.

El Cazador no lo detuvo, aun sabiendo que con ese cuento, narrado sin apuro, Razzani ganaba minutos que podrían haber sido invertidos en preguntas más afiladas. En el set ya no volaba una mosca. Arnaldo se mordió el labio para no sonreír: su jefe podía conmover al país con un relato que iba a alcanzar dimensiones de un heroísmo mitológico, bo-rrar la sospecha de prontuarios oscuros y quedar bien con La Fuerza, todo de un plumazo, al tiempo que ganar diez minutos de una entrevista que había prometido destrozarlo como a un gladiador en el circo romano.

–Los que iban a bordo de la Trafic eran una bandita inexperta, hijos de las drogas que están devorando a nuestros pibes... –Su voz se quebró en el momento preciso y su miedo lo hermanó con la clase media mientras su empatía encandilaba a la baja–. Hijos de las drogas, y, por eso, mucho más peligrosos que los delincuentes de antes. Me animo a decir que las cosas habrían terminado mal de no haber sido por la valentía de ese hombre, de ese cabo de veinte años.

Omitió decir que para aquel entonces todo su aparato de seguridad se había puesto en marcha, y que la Federal ya estaba alertada y tenía mucho más que cinco móviles rastrillando las calles.

–Cuando les bloquearon el camino y los hicieron bajar, encontraron a mi hija en la camioneta. El hombre del que les hablo tuvo que sacarle el celular del bolsillo y discar un número al azar, porque mi hija no se animaba a moverse. Veinte minutos más tarde llegamos al Puente la Noria. Puedo asegurarles de que no respiré hasta tenerla en mis brazos.

Así, con el ejemplo del único de sus guardaespaldas al que podían investigar sin encontrarle una mancha, Razzani distrajo la atención de las docenas de hombres de prontuarios oscuros que lo rodeaban.

–Antes de irme le di la mano a ese hombre, junto con mi tarjeta. Le pedí que fuera a verme al día siguiente. Tres días más tarde le ofrecí un trabajo.

Y dicho aquello volvió a mirar al Cazador.

–A su pregunta de quiénes son mis custodios le respondo: son hombres como él los que hoy cuidan de mis hijos.

3

Desde la ventana del cuarto principal ve a Irma abriéndose paso entre la jauría de periodistas. Tino tiene el uniforme puesto y la mochila colgándole de los hombros.

–Quiero ir al colegio –dice.

Su madre no le responde; duerme con la boca entreabierta debajo de un antifaz de encaje. Tino abre las cortinas para que entre la luz.

–Hoy voy al colegio.

Le levanta un centímetro el antifaz y le abre un ojo con la punta del dedo índice, hasta que ella le agarra la muñeca.

–Todavía no –murmura.

Hace dos días que no pisan la calle; su madre abandonó sus cursos, suspendió las citas con su pequeño ejército de masajistas y entrenadores. Nadie entra, nadie sale. La única que tiene contacto con el mundo es Irma. La ametrallan a preguntas en el momento en que cruza el umbral de la puerta:

¡¿Es verdad que Razzani ya no duerme en su casa?!

¡¿Hace cuántos días que se fue?!

¡¿Usted sabe dónde está?!

Irma se escuda detrás del carrito de las compras de Armani que la señora, Chia, trajo desde Italia. No pestañea, no abre la boca, repite *no sé* una y mil veces con la humildad de una descamisada.

¡¿Por qué no sale de la casa el resto de la familia?!

¡¿Va a presentarse ante el juez la semana próxima?!

A las decenas de denuncias que Razzani había recibido durante años se le sumaban ahora las de un juez y un periodista que se animaron a ponerle cara, nombre y apellido. Y con el fin del anonimato se terminó también la clave de su éxito. Apenas tres meses después de transformarse en un hombre público, Razzani se despidió de Tino. Iban a pasar años antes de que el pequeño entendiera la guerra que se había librado para que, acorralado y solo, su padre terminara huyendo la noche antes de su cumpleaños.

Una hora después, Irma pica Valium y lo espolvorea en el té de Sonia y en el de la señora. La pasta lleva a su hermana de la histeria a la depresión; litros de lágrimas, hasta que Bruno entra con el celular en la mano.

–Tiene una llamada, señorita Sonia.

Le acerca el celular al oído. Sonia escucha, deja de lagrimear, sonríe, suelta el teléfono y salta en la cama.

–¡Se hace!

Grita:

–¡Se hace!

Abre la ventana y asoma medio cuerpo.

–¿Quieren saber qué pasa? ¡Me caso!

La encandilan los flashes. Irma la mete adentro, de los pelos.

–Va a estar –le promete la paraguaya a Tino esa misma noche, sin dejar de acariciarle la cabeza–. Para eso llamó: para avisarle a tu hermana de que no se cancela la boda. Va a esperar a que se calmen un poco las cosas, pero va a estar.

Tino deja que le cante hasta dormirlo. Siempre fue así, desde que tiene memoria: la voz y las caricias de Irma funcionan como un bálsamo. Razzani no deja que nadie más le prepare la comida.

–Vaya adonde vaya, Irma viene conmigo –repite.

Cinco días después de irse, la manda llamar.

Juana y Tino la miran hacer su valija sentados en la cama de su dependencia de servicio. El cuarto de Irma ocupa medio subsuelo de la pequeña mansión de Barrio Parque. En la otra mitad duermen apiñadas las otras empleadas con cama, dos paraguayas y una boliviana con quienes no comparte ni el baño.

Cuando Bruno la ayuda a subir sus valijas hasta el primer piso, Tino los sigue sin despegarse de ellos hasta que se cierra la puerta del Mercedes. No recuerda una vida sin ambos.

Bruno estaba en la puerta de la clínica cuando nació, en la puerta de la iglesia en su bautismo, en la puerta del zoológico en la primera excursión del colegio. Y Tino aprendió a caminar apuntando siempre en dirección a las piernas de Irma, los bastiones más seguros del mundo. Bruno no se cansaba de repetir que Razzani le había dado todo lo que tenía, hasta una mujer: durante una década fue la sombra de su papá, el único guardaespaldas que lo acompañaba en cada viaje; cinco años atrás llegaron a Bangkok el día en que el único heredero hombre moría de sida en el Palacio

Central. Tenía sesenta años, veinte menos que el rey, doce más que la princesa Sirindhorn, radicada en Estados Unidos durante décadas por casarse con un productor de Hollywood. El viaje fue un éxito: su padre volvió con un convenio firmado con la mayor fábrica automotriz del sudeste asiático, y Bruno con una extraña, Jésica, que tardó una década en aprender español.

–Me encremó desde la punta de la nariz hasta los dedos del pie –le contó Bruno años después, cuando ya tenía a la tailandesa instalada en su casita de Moreno–. La invité a cenar al último bar de la calle Silom, donde se amontonan las bicicletas, las putas, los turistas y las ratas. Al lado nuestro un viejo austríaco le daba de comer a una adolescente. No hablaban. El viejo le barría el cuerpo con los ojos, lo paladeaba más que a la comida que se llevaba a la boca. La adolescente no tenía tetas ni bulto y tenía orejas de duende. Le sonreía, sin miedo, sin asco. Tenía hambre. Ella agarró un encendedor y empezó a pasarle la llamita por el brazo, cada vez más cerca, hasta chamuscarle los pelos. El viejo dejó que lo quemara, hasta le acercó el brazo unos milímetros. La adolescente acercó más la llamita, tanto que además de los pelos le chamuscó un poquito de piel. Ahí mismo le dije a Jésica que quería traerla conmigo a la Argentina... Y ella aceptó. Del resto se encargó Razzani.

Tino sabe que siempre ha sido así: su padre se encarga de todo. Incluso ahora, aunque ya no vive con ellos, va a ser él quien decida cuándo se termina el encierro, cuándo se abren las persianas y cuándo vuelven al colegio.

* * *

Una semana después, mientras forman fila en el patio con los brazos estirados para tomar distancia, Tino percibe que algo ha cambiado. Nadie lo mira igual, ni sus amigos. Sabe que todos escucharon pedazos de conversaciones de adultos hablando sobre Razzani; allanamientos, acusaciones, cargos, hipótesis y otras tantas palabras que Maia se encargó de buscar en el diccionario para mandarle mensajes de texto con cada definición. Los oye susurrar mientras la abanderada de séptimo grado termina de izar la bandera. Son los últimos de la fila y él es el primero. La reclusión y la espera se le metieron en el cuerpo congelándolo todo, hasta el crecimiento. Mientras rompen fila quiere alcanzarlos, pasarle la mano sobre el hombro a Frankie, hablar de las que ese día estrenan corpiño. Quiere dejar de sentir vergüenza, pero no puede. Maia es la única que le sonríe mientras acomoda sus útiles en el pupitre. Son compañeros de banco desde primer grado, unión azarosa impulsada por el falso progresismo de un colegio que obliga a sus alumnos a compartir pupitre con alguien del otro sexo con la misma determinación con la que cambió Historia Argentina por Historia Inglesa. Tino la mira de reojo: tiene rimmel en las pestañas, el pelo suelto, brillo en los labios y las uñas. Pero es la sombra del corpiño que esconde debajo de la camisa celeste lo que le hace levantar la mano antes de que la maestra termine de tomar lista.

–Quiero cambiarme de asiento.

La maestra no hace preguntas (el último programa del Cazador, titulado *Razzani es La Peste,* le parece suficiente motivo para mover a Tino hacia la otra punta del aula). Tino junta sus cosas y se aleja de Maia todo lo que puede.

–Te llaman el inspector de zócalos –dice Frankie (el único que le habla en el recreo) antes de hacer evolucionar una de sus cartas chinas–. Lo inventó Maia, dice que sos el único que no creció.

Tino se encoge de hombros mientras levanta su mejor guerrero y lo manda al cementerio que espera a un costado del juego, una pila de cartas muertas.

Frankie cambia de casa cada dos meses. Cuando lo conoció, su cuarto era más chico que el de Irma; ahora tiene cinco pisos, ascensor, playroom y mirador con telescopio. Su hermano Rufino los emborrachó a los dos antes de que cumplieran un año, una de las tantas noches que sus madres dedicaban a las cenas de caridad y moda. Ñoqui desde la cuna, Rufino siempre había sido un promedio: su carisma, su altura, su belleza, sus ocurrencias, las notas que se sacaba en la facultad, las mujeres con las que salía... todo en su vida promediaba los siete puntos. Y ahora, además, era el futuro marido de su hermana. Llenó un biberón con whisky, otro con vodka y los mezcló con un poquito de leche.

–Quiero ver qué pega más –le dijo a Sonia.

Fascinada por la osadía del rugbier, ella aceptó ser su cómplice sin intervenir. Bruno encontró a Rufino con Tino en brazos, haciéndole tragar leche a la fuerza. Le sacó el biberón, probó y lo agarró del cuello. Lo hubiera molido a golpes de no ser por el grito de Sonia, que subió por las escaleras como una ráfaga de fuego, alertando a su padre y al de Frankie. Los dos hombres encontraron a Rufino con los pies en el aire, pataleando para ser liberado. Sonia los miraba desde un rincón, paralizada por el terror de ver a Bruno aplastar al chico como si fuera una mosca. Parte de

LA FURIA DE LA LANGOSTA

esa furia era por ella. Desde el día en que la encontró acurrucada en la Trafic, Bruno tenía una debilidad por esa nena a la que llevó al colegio cada mañana, esperó a la salida de cada fiesta y cubrió en sus borracheras y aventuras; por la adolescente que lo provocó sin conciencia de su cuerpo y que hoy, al final del camino, tenía que entregarle al imbécil que le rogaba piedad con ojos de cordero degollado. Sin levantar la voz, Razzani le ordenó que dejara de estrangular a su futuro yerno.

Bruno obedeció.

Dejó que Rufino se le fuera al humo con dos golpes en la mandíbula sin sacarle la mirada de encima, ni a él ni a Sonia. Recién ahí, Razzani vio a su hijo acostado inconsciente y boca arriba sobre una alfombra persa, y a Frankie tratando de gatear contra una pared. No hizo falta que se acercara a oler su aliento alcoholizado. Razzani atajó una de las piñas de Rufino en el aire y le dobló el brazo hasta la nuca. A las madres les dijeron que se cayó de la escalera y se rompió un brazo.

Me confundí: el ladrón es tu papá.
Vos todavía no.

Tino borra el mensaje de texto que Maia le manda durante la clase de Lengua y no vuelve a hablar hasta que ve a Bruno esperándolo a la salida del colegio, parado entre las madres, tan solo como él. Caminan en silencio hasta el auto, tolerando los flashes y las preguntas de las guardias periodísticas que todavía siguen buscando alimento. Bruno, con una mano apoyada sobre su hombro y sin hacer preguntas, lo conoce lo suficiente como para saber que arrastra los pies con los ojos clavados en el piso porque fue un día largo y duro. No hace falta que intente levantarle el ánimo: Tino vuelve a sonreír en el instante en que Bruno se desvía hacia la Panamericana, alejándose de la capital.

Llegan al campo de San Pedro al atardecer. Lo primero que Tino ve al abrir los ojos, detrás de la hilera de frutales que bordean el camino hacia la casa, es una docena de peones que desarman el toldo blanco y el altar donde unas noches atrás iba a festejarse la boda de Sonia.

Bruno le sonríe a través del espejo retrovisor.

–Se va a casar tu hermana, pero no acá...

–¿Adónde?

–Lejos.

Tino sabe que *lejos* quiere decir en alguno de los campos del Sur. Y si están planeándolo es porque la vida va a volver a ser la que fue.

Dos años atrás, Tino se dio cuenta de que las cosas estaban yendo bien porque su padre empezó a comprar un campo detrás de otro. Además de cambiar de casa tres veces (siempre duplicando los metros, la cantidad de ambientes y la exclusividad del barrio), compraron cientos de hectáreas en varias provincias, todas con coto de caza privado: eran muchos los miembros del círculo que compartían con Razzani el fanatismo por la caza. Era un ávido coleccionista de cabezas embalsamadas. Tenía la teoría de que ese momento, con el rifle colgando del hombro y un animal muerto a los pies, era el ideal para hacer buenos negocios.

–Nadie tiene que saber que estuviste acá –dice Bruno.

–No estuve...

–Ni que lo viste.

Tino, que apenas puede quedarse quieto, susurra:

–No lo vi.

Irma los espera al final del camino, parada frente al casco de estancia de piedra inglesa. Tino puede sentir los olores de la cocina cuando hunde la cara en su estómago para dejar que lo apriete contra su cuerpo: su casa es móvil, su casa es Irma. Deja que lo peine antes de llevarlo de la mano hasta donde los espera Razzani, amansando un potrillo con la piel tostada. La clandestinidad lo tiene más saludable que décadas de ciudadanía ejemplar. Va vestido como un peón, pero con ropa de marca. Se arrodilla para abrazarlo, con tanta fuerza que duele. A veces es un poco bruto, piensa Tino, asfixiado entre sus brazos.

–Le pedí a Bruno que te trajera porque sabía que podía confiar en vos, y no aguantaba las ganas de verte.

Le llena la cara de besos.

–Hoy te quedás a dormir. Mañana vas al colegio desde acá.

–¿Desde acá? ¡Son más de dos horas!

–Vos no te preocupés por nada. Está todo arreglado.

Tino mira el terrón de azúcar que Razzani apoya en su mano.

–A ver si te animás...

Él entrega la palma abierta al potrillo sin importarle que se la arranque. Ni la lengua tibia y áspera del animal le impide mirar a los ojos a Razzani con una sonrisa victoriosa, probándole que siempre va a ser su soldado más valiente.

–Llegás justo a tiempo, vení conmigo.

Obedece cuando lo hace esconderse en el baño del establo.

–Quiero que escuchés cómo se despide a un hombre.

Minutos después entra con un peón que mira a los ojos cuando lo retan. El hombre tiene cincuenta años; nació en su campo. Roba vacas, por hambre o por deporte; roba y cuerea. (Tino sabe que el plural miente: robó una.) El hombre llora, suplica, tartamudea, pero nunca –ni una sola vez– baja la mirada.

–Es igual que con los perros –dice su padre en la cena–: si no bajan la mirada, se las traen.

Tino asiente.

La alegría de estar cenando solos es tan inmensa que le diría que sí a cualquier cosa. Desmenuza la carne que tiene en el plato. Apenas puede tragar un bocado ni decidir cuál de las preguntas que desfilan por su cabeza puede hacer sin arruinar la única noche a solas con él.

Hay una luz encendida en el comedor, y ni siquiera es la principal; es un velador apoyado sobre la mesa. El resto de la casa está a oscuras, exceptuando la cocina. Tino lo percibió todo desde el momento en que entró: las persianas estaban cerradas, la chimenea y las luces apagadas. En el cuarto principal las pocas cosas que Razzani había traído seguían en el bolso, aunque ya hacía más de una semana que estaba en el campo y no tenía planes de irse. Lo mismo pasaba en el cuarto de Irma. Ambos estaban listos para desvanecerse sin dejar rastros a la primera señal de alarma. Alcanzaba con apagar dos luces y guardar los bolsos en el auto antes de alejarse cortando campo en la camioneta que esperaba con la llave puesta y el tanque lleno en la puerta trasera.

–¿Puedo volver mañana?

–No.

–¿Pasado?

–Tampoco. Hoy. Hoy estás acá.

Razzani parece a gusto con el silencio.

Corta su carne metódicamente, empezando por la punta izquierda y avanzando hacia la derecha sin dejar nada en el camino. Acepta con calma su presente fantasmal. Hacia el final de la cena, mientras le pregunta a Tino a qué hora es el partido que tiene al día siguiente en el campo de deportes, agarra la copa vacía y limpia los bordes y la base con una servilleta de lino. Lo hace sin darle importancia, pero Tino entiende el gesto. Y apenas puede contener la angustia de ver a su padre convertido en una sombra.

Sentado en un banquito que agoniza debajo de sus cien kilos, con un escarbadientes en la boca y un plato de comida sobre las piernas, Bruno los observa desde la puerta de la cocina. Tiene por delante catorce horas de espera. Le gusta esperar en los lugares seguros, aunque nunca pueda tener la guardia baja y la mente dispersa al mismo tiempo. Mientras espera se mira las manos –las rayas, la piel curtida, las cicatrices– preguntándose lo que pudo hacer y no hizo, las órdenes que no debería haber obedecido. Una vez, en la quinta hora de espera, entendió cómo el pasado lo había traído hasta el presente. En la octava lo olvidó todo.

–Bruno –dice Irma–, me estabas contando algo...

Sin mover el cuerpo, gira la cabeza para mirarla. Está distinta; ni la penumbra en la que viven puede ocultar su excitación.

Para Irma, hablar del matrimonio de Bruno era un buen modo de pensar en otra cosa que no fuera en su hijo, que a esta hora ya debía de estar cruzando la frontera entre Paraguay y la Argentina.

Bruno hace rodar un escarbadientes entre el paladar y la punta de la lengua antes de volver a hablar.

–Dice que extraña. Que se siente sola. Que con un franco por semana no le alcanza. Que trabajo quince horas por día.

–Tiene razón.

–¿Sabés qué está haciendo? Se está blanqueando la piel igual que Michael Jackson. Es moda entre las tailandesas: cambiar el amarillo por el blanco, sacarse capas de piel, acercarse al hueso...

Irma apenas lo escucha.

Reza en voz baja para que a su hijo no se le ocurra bajarse de ese micro en ninguna de las paradas. Imaginarlo abandonado en un parador de ruta alcanza para que se corte la yema del dedo índice. Bruno muerde el escarbadientes al ver a Irma limpiando el filo ensangrentado de la cuchilla con la que acaba de partir en cuatro una sandía.

–Así que mañana llega tu hijo –dice.

Irma asiente mientras envuelve su dedo en una hoja de papel de cocina. Lo tuvo de grande, se fue a Paraguay a parirlo. Lo dejó en Encarnación para que lo criara la abuela. Nunca les habló de él, ni a Juana ni a Valentino. A Razzani sí, él estuvo allí desde el principio. Cuando se la llevó consigo al campo de Mendoza le pidió que la dejara traerlo (no pidió, dijo: *quiero traerlo*), y él se dio cuenta de que esta vez era en serio, porque aceptó. Al día siguiente Irma llamó a la casilla de correo a la que mandaba su sueldo cada mes, para que le hicieran llegar el mensaje a su madre: tenía que usar el último envío de dinero para comprar un pasaje de ida hasta Mendoza ciudad.

Subilo al micro y prohibile que
se baje en las próximas 36 horas.
Yo voy estar del otro lado esperándolo.

Eso decía el mensaje que el dueño de la casilla le leyó a la madre de Irma un par de horas después.

–En el origen de cualquier fortuna hay mucho esfuerzo y mucho trabajo, pero también hay mucha trampa –dice Razzani, mientras Tino prepara el tablero de ajedrez sobre la cama del cuarto principal–. La diferencia siempre la hace la trampa.

Tino lo mira con el ceño fruncido, sin saber todavía que esa última palabra, *trampa,* susurrada con una sonrisa por el mismo hombre que le había enseñado a jugar al ajedrez, al estanciero y a la batalla naval repitiendo siempre una misma frase *(No importa que pierdas, importa que seas íntegro y honesto)* va a ser la última que recuerde cuando, siete décadas más tarde, se acueste en esta misma cama para no levantarse más. Esa noche soñará que cabalgan juntos el oasis de mil hectáreas del Valle de Uco, uno de sus quince campos, el que limita con la precordillera: viñedos, frutales, peones y vacas; propiedad de la Corporación de Los Andes.

–Tranquilo –dice Razzani acariciando la crin de un pura sangre negro–. Para esconderme hay campos a mi nombre y campos a nombre de otros.

Cuando Irma lo despierta a las seis de la mañana ni siquiera se acuerda de dónde está hasta que ve la inmensidad del campo de soja recién sembrado del otro lado de la ventana. Amanece mientras desayuna con Bruno, que sigue masticando el mismo escarbadientes del día anterior, sentado en el mismo rincón con la misma ropa. No se despide de Razzani. Irma lo convence de que lo deje descansar, mientras ata los cordones de sus botines y lo peina despacio, como una excusa para acariciarlo.

–Decile a tu mamá que no se preocupe, que yo se lo cuido.

Tino asiente.

No deja de mirar las persianas cerradas del cuarto principal hasta que las hélices se ponen en marcha y el helicóptero que va a llevarlo hasta la capital se eleva por sobre la casa y las hectáreas del campo de San Pedro. Ve a Irma saludándolos y al Mercedes que dejaron detrás para que algún peón lo lleve esa tarde hasta Barrio Parque, preguntándose cuánto va a tardar esa noche en transformarse en un sueño.

Maia es la primera en adivinar quién viene a bordo del helicóptero que se abre paso entre las nubes media hora más tarde. Interrumpen el primer tiempo para transformar la cancha de hockey en una pista de aterrizaje. La profesora ahuyenta a las alumnas, las obliga a correr, las polleras aleteando al ritmo de las aspas del monstruo que baja sobre ellas. La única que se queda parada en medio de la cancha –el palo de hockey convertido en espada– es Maia. Desde el aire Tino la ve reírse. A doscientos metros de distancia parece mirarlo directo a los ojos, hasta que uno de los preceptores la obliga a abandonar su puesto de combate. Pero al pasar entre los alumnos que se juntan para verlo bajar del helicóptero con Bruno, entre las risas de los más grandes y la admiración de los más chicos, Tino no levanta la mirada. Por fin llega a su puesto y el referí hace sonar el silbato de inicio del partido.

Todos lo miran de otra forma a partir de ese día. Después de verlo saltar de su helicóptero, los del equipo contrario lo dejan meter siete tries. Son de un colegio católico de la Zona Norte, hijos del Opus Dei. No se animan a tocarlo, y menos con Bruno corriendo al lado suyo del otro lado de la cancha.

Decapitados de azúcar

4

El primer día del verano Sonia convence a su padre de que es tiempo para la boda: ya no aparece en los diarios ni en la televisión. El juez que pidió su cabeza está en la ruina, puesto bajo sopecha de todo por el aluvión de calumnias que le sacudió la vida después de que los gendarmes le sacudieran la casa a Razzani. El Cazador exprimió el tema hasta quitarle el último punto de rating... el prófugo ya no interesa, y el peligro de incendiarlo pesa más que la primicia: en los sociales del círculo se cruza con tres periodistas que no osan dispararle con el flash.

Las familias de Frankie y Valentino viajan juntas a Mendoza, al campo de turno en el exilio de Razzani (más vicio que necesidad a esta altura: le ha tomado el gusto a manejarlo todo desde la periferia). La madrugada del 15 de diciembre el helipuerto prepara el vehículo de cada familia para que partan juntas. Al paparazzi que los sigue el primer tramo del camino Bruno se encarga de disuadirlo en un semáforo: se acerca a su ventanilla después de anotar el número de placa en una libretita que lleva a todas partes con él. Libres de lastre entran al helipuerto cantando una canción de Pipo Pescador, cada estrofa de *Vamos de paseo* coronada por tres bocinazos. Desde el aire, Bruno le señala a Tino su casa de Barrio Norte, el colegio y las casas de fin de semana que tienen en tres barrios cerrados de la Zona Norte. Tino lo interrumpe para preguntarle si ya pasaron por la cárcel en la que tendría que estar encerrado su papá. Tiene que gritarlo para que lo escuche por sobre el ruido de la hélice, y lo hace con tanta furia que por unos segundos todos dejan de hablar.

Entre viñedos y frutales, los autos cruzan la Ruta 40 en fila india, con la negrura polarizada y el protocolo de un cortejo fúnebre. Sonia –esquelética gracias a la dieta de la luna, tostada después de meses de cama solar, con cejas de cinco pelos– trata de explicarle a su madre los motivos por los que quiere una boda íntima. Pero sus balbuceos la dejan con la mirada perdida en el volcán de Tupungato, por el que los autos pasan en ese mismo instante.

Tino la escucha en silencio; su hermana –tan llena de tics, uñas mordidas, pellejos arrancados, contracturas, úlceras, dolores de cabeza, angustias y suspiros– siempre le hace pensar en el conteo regresivo de una bomba. Aunque nadie lo sabe, las veces que Sonia estuvo más cerca de estallar él se metió en su cama para abrazarla toda la noche. Y cada minuto, mientras la sostenía, imaginaba que estaba arrodillado frente a la bomba decidiendo qué cable cortar. Hasta ahora siempre había elegido el correcto, aunque todavía tenía miedo de salir a la calle: hace un año que le venían robando una vez por mes.

En la cocina susurraban que la tenían marcada.

–Mañana te vas a Miami otra semanita –le dijo Razzani la última vez que le robaron el Audi–. Cuando vuelvas tenés un auto nuevo en la puerta.

Le compró el mismo descapotable tres veces, hasta que ella misma decidió guardarlo en el garaje. La última vez, además de robarle el auto la tuvieron dando vueltas cinco horas. Cuando la recuperaron su mamá le echó la culpa a los guardaespaldas. (El único en el que confiaba era Bruno, dedicado a los dos menores a pedido de Razzani. Los otros le inspiraban más temor que tranquilidad.) Aquella noche festejaron: nadie en el círculo entendió por qué al *secuestro* no le quitaron el *express*.

–Los giles no se dieron cuenta de quién era la figurita –dijo un abogado penalista, compañero de squash del futuro marido de Sonia.

Razzani no estaba dispuesto a correr más riesgos: mientras la gente bailaba en el jardín abrazó a su hija por la cintura y la llevó hacia el ala de servicio.

–Esta vez va a ser distinto –dijo–. Te conseguí al mejor.

Dino esperaba en la cocina, caminando en círculos con las manos en los bolsillos, el pelo rubio engominado y un traje recién estrenado. Todavía extrañaba el uniforme.

–Es un amigo de Bruno.

Fue toda la presentación que hizo del rubio con ascendencia alemana y cara de bulldog que iba a garantizar la seguridad de su hija desde ese instante. Era mentira: Bruno no lo conocía. El alemán había sido puesto a dedo por el grupo de *Los Resucitados,* como se hacían llamar los que manejaban los operativos de inteligencia de las empresas de Razzani. Hacía tiempo que querían meter a uno de los suyos en la custodia principal del jefe; no les gustaba que el hombre de mayor confianza no compartiera el mismo pasado que el resto, tan felices estaban de reencontrarse en nuevos grupos de tareas después de décadas. Razzani tampoco agregó que la empresa de seguridad privada se lo había robado a La Fuerza con una oferta imposible de resistir.

Dino había pasado la investigación de cinco horas en la que se le indagó sobre sus antecedentes policíacos y penales, y había realizado todos los exámenes psicológicos necesarios: el Barsit para medir su rapidez y habilidad intelectual y el Bender para obtener un estudio psicométrico y un diagnóstico de su personalidad. Antes de venir a servirlos había sido adiestrado durante doce meses para detectar el perfil criminológico de todo individuo.

–Desde hoy va a estar encima tuyo día y noche –dijo Razzani.

Se dieron la mano, Dino con fingida humildad, desnudándola con los ojos un instante (imperceptible para todos menos para ella) antes de bajar la mirada.

–Nadie la va a tocar –dijo el alemán.

Sonrió con una mueca torcida, sin soltarle la mano.

–Si usted no quiere –agregó.

Fue la frase perfecta: si hay algo que a Sonia no le gusta es que la toquen; cuando saluda le da besos al aire, se maquilla hasta para bajar a cenar y nunca anda sin tacos, ni siquiera en la playa.

Las uvas empiezan a pudrirse por la ola de calor que ese año castiga los oasis mendocinos. Las ciruelas y los higos hacen que los mosaicos amanezcan manchados, con racimos de moscas empalagadas encima de cada fruta, y un olor rancio que tiene a las gatas siamesas quemándose las lenguas contra el mármol ardiente.

–No va a haber forma de disimular este olor en la fiesta –dice Sonia, embadurnándose el escote con Hawaiian Tropic–. Ni el olor ni la transpiración. Nada destroza más rápido el glamour que las frentes brillosas.

Acostados a su lado en una reposera de pinotea, Tino y Frankie asienten al unísono. Intoxicados por el olor a coco, siguen una gota de sudor que se abre paso por el estómago de Sonia hasta su ombligo. Desde el agua, con Juana acaramelada en sus brazos, Razzani sonríe mirando el estado de lánguida excitación de su hijo. Nada podría arrancarle la alegría de tenerlos a todos con él, ahora que siente más que nunca lo efímeros que son estos instantes de paz.

–Decile a Irma que mande a arrancar todas las frutas hoy mismo. Un día sin que se pudra nada y el olor de los jazmines va a taparlo todo.

Empezó a recibir amenazas dos noches después de irse: los que lo llaman no lo quieren preso ni exiliado. Aunque Tino tampoco entiende, es Juana la que pregunta, esa misma noche, cuando Razzani termina de leerles un cuento de hadas.

–¿Ya no tenés que esconderte más?

No se había separado de él desde que llegaron, jugaba en la puerta de su escritorio y se despertaba en medio de la siesta llamándolo.

–Acá adentro no, son todos amigos.

–¿Y afuera no?

Tino baja la historieta de superhéroes que finge leer.

–Afuera no.

Una noche, espiando por la cerradura del cuarto de su mamá, vio un pedazo del programa del Cazador, horas después de que un periodista apareciera muerto en su auto con una bolsa de plástico en la cabeza. Nombraron a su padre cinco veces, su mamá empezó a llorar en el segundo bloque y Sonia lo encontró espiando en el último.

–¿Y por qué?

Las preguntas de Juana, siempre interrumpidas por la exasperación del interrogado, pueden empujar las conversaciones hacia límites insospechados.

–Porque ahí afuera hay gente mala.

–¿Nosotros somos los buenos?

Razzani sonríe mientras peina los bucles rubios de su hija sobre una sábana de hadas y duendes.

Los primeros en llegar son los organizadores y los del toldo: kilómetros de blancura que en pocas horas enfundan un cuarto de la cancha de golf, con pisos de cedro desmontable y una estructura tan firme que ni el Apocalipsis habría podido derribar. Al atardecer, Sonia mira la capilla adornada de rosas blancas.

Estoy salvada, piensa.

Tiene veintinueve años; si el casamiento se atrasaba un mes más entraba a los treinta soltera. A lo lejos puede ver a Rufino nadando de una punta a otra de la pileta olímpica que tienen delante de las canchas de tenis. Todavía duermen separados. Sonia le había insinuado de todas las maneras posibles que nada le importaba menos que llegar virgen al matrimonio, pero en algún momento la cruz que Rufino llevaba colgada en el cuello fracturaba la súplica de que no se detuviera, siempre segundos antes de la penetración.

A medianoche esconde un bikini debajo de un kimono importado y baja a encontrarse con él en el bálsamo con aroma a cloro que lo tuvo en remojo el día entero. Encuentra el agua revuelta y turbia. Dispuesta a hacer cualquier cosa para confirmar si está casándose con un hombre que tiene sangre en las venas, se zambulle para que él la encuentre mojada, su cuerpo esquelético iluminado por las luces que bordean el perímetro de venecitas.

Quince minutos después está tiritando, con la piel arrugada, cuando los escucha reírse. Agazapada contra un rincón de la pileta, reconoce la risa áspera de su guardaespaldas y la abaritonada de su futuro marido, entrelazadas como si hubieran venido al mundo para encontrarse. Están cerca, a cincuenta metros. Dino canta un tema de Franco Battiato enseñándole unas palabras de italiano a un Rufino embelesado por la voz del hombre con cara de perro. Sonia no puede evitarlo: se acerca, camuflada entre las acacias con una mueca de asco, su cuerpo igual de húmedo que el de su futuro marido.

–¿Por qué te dicen Dino si te llamás Zanetti? –dice Rufino, y hasta su voz es otra.

Sin desprenderse de la mirada del otro, el alemán saca el arma que lleva en el pantalón.

–Tocá.

Lo hace deslizar el dedo por el costado del arma.

–¿Sentís?

Rufino mira el arma, a Dino y de nuevo el arma, fascinado.

–Tiene tu nombre grabado –dice. Las letras quedan incrustadas en la yema de su dedo índice.

–El de mi abuelo. Vino de Europa sin nada. A la única que trajo fue a ella. Directo de la Segunda Guerra Mundial.

Rufino le devuelve el arma que Dino guarda adentro de su pantalón. Electrizados, más que por las armas, por el roce de sus dedos.

Encerrada en el baño, Sonia vomita todo lo que lleva adentro. Una eternidad (un minuto) después, queda vacía. Arrodillada en un rincón mira sus uñas lastimadas como si fueran las de una extraña. Le quema la garganta, asqueada por un parpadeo de lucidez ante la vorágine perfecta que es su vida. Seis horas más tarde, amanece mientras ella mira a Dino por el espejo retrovisor del auto.

–¿A nuestra luna de miel vas a venir con nosotros?

El alemán arranca la mirada de la ruta para encontrarse con los ojos hinchados y enrojecidos de Sonia, que apenas se asoman por encima de sus anteojos de sol. Su mirada hiela la sangre de Dino: no hay una pizca de coquetería enredada en sus pestañas.

–Si vos querés.

–¿Papá qué te dijo?

Su tono –gélido, mezcla de desprecio y sorna– es el de un general que está a punto de dar la orden de fuego.

–Que sí –dice–, que voy.

Una queja alcanzaría para que Razzani lo dejara sin trabajo; una mala referencia para que un mercenario de la seguridad privada se transformara en un paria. El alemán se da cuenta en un instante de que subestimó a la víctima. Clava la vista en la ruta que parte los viñedos al medio; tiene dos horas, mientras encremen a la princesa en las termas del Valle de Uco, para planear una estrategia que vuelva las cosas a su lugar.

5

Tino lo encuentra jugando en su casa del árbol, detrás de una bandera roja, azul y blanca que arranca sin una pizca de respeto –no es la de Estados Unidos–, antes de abrir la puerta de una patada. Alcanza a ver a un chico de su misma edad que salta por la ventana y de ahí a la tierra agarrándose de rama en rama como un mandril. Lo ve cruzar el campo en diagonal, más rápido que una liebre. *Los payaguás, los guaycurúes, los m'bayá, los abipones, los mocovíes, los chiriguanos,* piensa el hijo de Irma mientras corre sin saber por qué. Por unos segundos Tino lo mira alejarse, perplejo, con la bandera de Paraguay todavía enroscada en la mano. Podría jurar que la cara del extraño era igual a la suya.

Esa tarde niega cuando Razzani le pregunta si lo conoce. Le da la mano y acepta en silencio la única condición que les pone su padre para poder acompañarlo en una cacería: jura hacer todo lo que él ordene. Mientras galopa campo adentro montado sobre una yegua mansa no deja de mirar al hijo de Irma de reojo. Su primera impresión fue cierta:

tiene los mismos ojos grises que él y sus hermanas, la mandíbula cuadrada y una explosión de pecas sobre la nariz. Paraguay puede sentir la forma en que lo mira. No es el único: hasta el último peón del campo empalideció al ver el parecido inocultable entre el hijo de Irma y el patrón, yendo de una cara a otra hasta que el pudor de ver los secretos del pasado así expuestos lo forzaba a bajar la mirada cada vez que se cruzaba con él.

El mismo Razzani se quedó sin palabras al verlo entrar en su despacho detrás de Irma, recién llegado de la terminal. Esa noche Paraguay se despertó solo en el cuarto de servicio y los escuchó discutir durante horas. Estaban lejos, separados del ala de servicio por un piso y diez ambientes. Apenas llegó a entender un puñado de palabras sueltas. Razzani hablaba de deslealtades y traiciones. Irma le ordenó elegir: si se iba su hijo se iban los dos. Fue la única frase completa que escuchó, porque Irma abrió la puerta del escritorio y bajó las escaleras corriendo mientras le gritaba.

De vuelta en el cuarto de servicio se metió en la cama de Paraguay para abrazarlo.

–Tranquilo –dijo, al verlo con los ojos abiertos clavados en la ventana–. No nos vamos a ninguna parte.

Y así fue: no hubo más discusiones, ni cuando a la esposa del patrón se le llenaron los ojos de lágrimas al conocerlo. En pocos días Paraguay confirmó lo que todos sabían desde hacía años: Razzani no estaba dispuesto a perder a Irma, aunque tuviera que lidiar con la humillación de aceptar que las reglas las pusiera otro. Apenas volvió a dirigirle la palabra desde aquella noche, pero si había algo que estaba claro, era que Paraguay había llegado para quedarse.

Cuando Razzani mata la primera liebre y grita que vayan a buscarla, a Tino no le queda más remedio que obedecer en silencio.

—Agarrala de las orejas —dice Paraguay.

A él lo llevan hace días para juntar los animales muertos.

—Vos —ordena Tino.

Segundos después cambia de idea, agarra la liebre de las orejas y se da vuelta para mostrársela a Razzani. Pero su padre está lejos, disparándole al cielo mientras Paraguay se mete en el agua helada del lago en busca de la última presa. Mientras los mira, Tino siente un hilito tibio que se abre camino sobre su piel: la sangre de la liebre que tiene en la mano. Ya dejó de patalear, pero todavía está tibia. A lo lejos, Razzani festeja con palmadas en la espalda y apodos inventados para su futuro yerno (lo llama Finito y Miope, sin pensar en las horas de terapia y boxeo ni en las rayas de cocaína que Rufino lleva invertidas en su suegro), que está cada día más flaco, aunque pase las noches en el gimnasio que tiene instalado en la habitación. El labio le late rabioso mientras apunta a la liebre como si fuera su futuro el que huye entre los matorrales.

Cuando Paraguay sale del agua —pato en mano— lo primero que escucha son los gritos. Nadie lo ve correr entre los juncos, miran la liebre de Rufino mientras hablan todos al mismo tiempo, superpuestos y excitados.

–¡Dispará, Finito, la perdés!

Lo único que escucha Tino es el silencio de su liebre muerta.

–¡Mirá cómo corre la desgraciada!

Pero lo ve todo...

–¡Dale ahora!

La liebre y Paraguay corren en direcciones contrarias, a punto de chocarse de frente en medio de un trigal tan alto y espeso que apenas deja entrever el vaivén de las espigas por donde pasan los dos cuerpos aterrorizados, doblándolas a cámara lenta como estelas de un rayo de luz...

–¡Dispará, cagón!

Aturdido por los latidos de su corazón, Tino mete el dedo en el agujero que la liebre tiene en el cuello y trata de tocar la bala hundida en el cuerpo tibio, cuando escucha el grito de Paraguay. El tiro ahuyenta las aves en abanico, pero Tino no mira tan alto: ve cómo la liebre que esquivó la bala de Rufino escapa riéndose de todos con las orejas apuntando hacia atrás.

Meses antes, Razzani le había entregado a Rufino las riendas de una de las pocas empresas que reconocía como propias.

–Pase lo que pase, nadie va a intervenir. Esta empresa es tuya. Vamos a tomarlo como un experimento, una prueba piloto. No te pido milagros, solamente que la sostengas.

La propuesta de su suegro, imposible de rechazar, no le dejó más remedio que abandonar las aulas de una paqueta universidad privada para encerrarse en su nuevo despacho. Cuando le palmeó la cara, ninguno de los presentes supo si con ese gesto lo bendecía o si era su manera de entregarle un certificado de defunción.

–En la cancha es donde se ven los pingos...

–¿Qué pingos? –preguntó Rufino, siempre desorientado.

–Vos, Finito. Vamos a ver con quién se está casando mi hija.

El grisáceo y obediente Rufino se encontró de pronto en una vida en la que ya no había aulas, jóvenes, partidos de rugby y veraneos de dos meses. Dándole una responsabilidad tan gigantesca años antes de que estuviera capacitado para tomarla, su suegro lo exponía a los extremos: catapultarlo o hundirlo. Dos semanas más tarde, una detonación en el dormitorio de Rufino hizo retumbar las paredes del antiguo casco de la estancia. Al entrar, temiendo la peor catástrofe, Razzani encontró a su futuro yerno, pálido, con un rifle en la mano. Lo estaba limpiando cuando se le escapó un tiro. En un rincón lloraba Tino, con la cabeza ensangrentada por los perdigones de una bala perdida que, milagrosamente, apenas lo había rozado.

–¡¿A qué le dio?! –grita Razzani mientras galopa hacia Paraguay.

–La pierna –dice Bruno.

Está arrodillado encima del chico que no llora, que tiembla y los mira en silencio seguro de que un gemido alcanzaría para ser rematado. Paraguay abre la mano que rodea el cuello del pato ensangrentado y lo apoya con delicadeza sobre la tierra: tiene los ojos abiertos igual que él. Ve a los caballos con sus jinetes y rifles asomándose por detrás de la cabeza de Bruno. Encima del trigo. Debajo del cielo. Trata de detener la hemorragia con la mano pero la sangre se le escapa por entre los dedos. En un acto de valentía insospechado, Frankie quiere imitarlo. Su padre le agarra la mano en el aire.

–La sangre no –dice, bajito–. Nunca toques la sangre.

Algunos lo llaman Dorian, aligerando la enfermedad que le quitó al padre de Frankie la posibilidad de envejecer.

–Tranquilos: si es la pierna no pasa nada.

Paraguay mira la cara sin arrugas del hombre de sesenta años y entiende de pronto el terror que le produce aquel cuerpo que va hacia la muerte sin dejar rastro.

Con una absoluta sensación de irrealidad, como si todo pudiera disolverse en un abrir y cerrar de ojos, Tino observa lo que está pasando a metros de distancia, escondido entre las espigas. No escucha lo que dicen. Por unos segundos, el chillido de los teros sobre su cabeza es tan fuerte que se traga las voces. Ve los gestos helados de su padre, las lágrimas de Rufino y el temblor de las manos de Bruno mientras se sube a uno de los pura sangre, abraza a Paraguay contra su cuerpo y clava las espuelas contra el caballo para salir al galope.

Cuando llegan a la casa, Irma está encerrada en la dependencia de servicio sosteniéndole la cabeza a Paraguay mientras el médico termina de coserle la herida. Del otro lado de la puerta Tino escucha los balbuceos en guaraní de su delirio afiebrado. El murmullo de Irma es tan incomprensible y rabioso como el de su hijo.

–Hasy, mama... Aikuaáma che mboraihu.

–Jaha katu che sy –dice ella, sin arrancar la mirada de la herida.

–Ñande rógape.

–Koa ngo haé la ñande róga.

Es la verdad: estas son su casa y su familia. Su hijo no era más que una foto pegada en el marco de la cama, una foto que cambiaba cada año, a medida que sus sueldos mandados por correo a una casilla de Encarnación lo alimentaban, vestían y educaban. Eso era todo lo que Irma recibía a cambio: un puñado de fotos y cartas escritas a mano por un hijo que crecía a miles de kilómetros de distancia. Nunca se había preguntado si existía otra manera: ella había sido criada por sus abuelos y algún día criaría a sus nietos. Si algo se reprochaba mientras el médico le cosía la pierna a Paraguay era haber quebrado el orden natural de las cosas al mandarlo llamar.

–Fue un accidente –dijo Bruno.

Minutos antes había irrumpido en la cocina con su hijo en brazos, los dos bañados en sangre. Impenetrable y muda, Irma le negó la entrada al cuarto a todos menos al médico, atrincherándose en los cinco metros cuadrados que eran su único dominio.

Razzani encuentra a Tino, Juana y Frankie escondidos detrás de una alacena de mármol inglés.

–Cambien la cara de velorio que acá no se murió nadie –dice.

No se detiene. Se aleja de la penumbra viciada de miedos de la cocina hacia la promesa de un olvido soleado que se filtra por las ventanas, hasta que la voz aflautada de su hija lo hace girar sobre sus pasos.

–¿De verdad va a estar bien?

–¿Alguna vez te mentí yo a vos?

Juana bambolea la cabeza en una mezcla esquizofrénica (lucha por el no, prisionera del sí) que termina clavada en Tino, suplicándole una pizca de verdad.

–No sé –lo escucha susurrar.

Y es tan grande el alivio de que alguien diga la verdad, que minutos después Tino escucha su risa y la de Frankie mientras corretean alrededor de la pileta. Por un segundo abre la mano izquierda para soltar la liebre que todavía tiene pegoteada en la mano, rehén de su pánico, pero la soledad es tan inmensa que vuelve a apretar los dedos alrededor del cuello del animal. Está más fría que el mármol hacia el que él se desliza, estirando las piernas para mirarse la piel sin heridas de bala, tan sanas que, cuando la puerta se abre una hora más tarde, las esconde detrás de la mesada. No puede mirar a Irma a los ojos, baja la cabeza para ocultar las lágrimas detrás del flequillo. Sin controlar el temblor de los hombros, asiente en silencio cuando ella le ordena que deje de llorar.

–Vos no tenés la culpa de nada.

Irma no hace preguntas, no hace falta. Lo sienta en la mesada para lavarle las manos con detergente.

–Le di algo para que descanse –dice el médico, mientras Irma frota las manos de Tino, su mirada clavada en el agua teñida de sangre–. Mañana me lo llevás al hospital, le ponemos un yeso y en un par de meses está jugando al fútbol de nuevo.

Se lava sus propias manos, de espaldas, antes de girar hacia ellos.

–En dos semanas me lo llevo para Encarnación –dice.

–¿Vos querés que la pierna le quede bien, Irmita?

Asiente en silencio, sin animarse a decir que su nombre es Irma.

–Entonces haceme caso: hasta que no camine se queda acá. No vaya a ser que la gente pregunte qué le pasó –dice, mirando a Bruno.

–No se preocupe, el chico se queda.

El médico lo sigue hacia la salida, cruzando instrucciones que ya no la incluyen. Hasta el destino de su propio hijo le es ajeno, piensa Irma. Espera a que salgan antes de abrir un cajón del que saca una cuchilla. Empuja la puerta del cuarto de servicio con la punta afilada, pero Tino alcanza a ver a Paraguay dormido sobre las sábanas blancas, con la pierna vendada. Ahí mismo, sin aviso, escucha un golpe seco: el filo del metal incrustándose en la tabla de madera. Cuando abre los ojos, Irma tiene la cabeza de la liebre en la mano.

–Si querés cazar más vale que te vayas acostumbrando. Con pulso de cirujano abre la liebre por la mitad; la catarata de tripas le corta la respiración.

Esa noche Rufino repite tres veces.

–Es la mejor liebre a la provenzal que probé en mi vida –dice.

Y pide un aplauso para Irma.

El pánico de lo que pudo haber pasado (no a Paraguay, sino a su propio futuro) lo tiene eufórico. Ahora que todo está de nuevo bajo control. Razzani no lo burla ni una sola vez; por el contrario, lo trata mejor que nunca.

–*Merge* es fusión en inglés –les explica a Tino y a Frankie cuando las preguntas sobre la boda dan pie a una charla de negocios.

Es de lo único que se habla esa noche: las condiciones en las que algunas de las empresas de Razzani van a fusionarse junto con los destinos de sus hijos. Tino no puede tragar ni un bocado y Frankie ni siquiera acepta que le sirvan un pedazo de liebre. Igual de pálidos, siguen la conversación sin abrir la boca, bajando la mirada cada vez que Irma sale de la cocina.

–Algún día ustedes dos van a ser socios –dice Razzani.

Desde ese instante, Tino y Frankie se miran con desconfianza.

6

Las cinco posadas de Tupungato empezaron a poblarse la noche anterior a la boda. Durante semanas los invitados se arrancaron los ojos por la jerarquía de los cuartos (los detalles hablan del lugar que ocupa cada invitado: un metro más o menos, la vista al frente o al fondo...). Una docena de periodistas allegados al círculo aceptaron el trueque: para asistir a la boda había una única persona que no podía salir en las fotos. Pese a todo, y por prudencia, a último momento Razzani decidió no ir a la capilla del pueblo. Si hasta ese día había sido la víctima de un juez mesiánico, ahora su reclusión lo empujaba a las alturas de la santidad.

El rumor ya corre entre los invitados que sacuden el polvo de sus vestidos en Tupungato, la injusticia de que el padre no pueda llevar a su hija hasta el altar. Razzani espera del otro lado de la puerta en la que el diseñador, la peluquera y la maquilladora terminan de adornar el cuerpo anoréxico de su hija. La acompaña hasta la puerta con una resignación divina.

Tino observa la despedida parado al lado del auto.

El frac diminuto –hecho a medida–, la faja y los zapatos lo tienen encorsetado, respirando como un asmático.

–Lo vas a hacer mejor que yo –le dice Razzani.

Quiere decir que sí pero no puede, tan aterrorizado por tener que ocupar el lugar de su padre que no le sale ni un suspiro.

Sonia no le suelta la mano en los veinte minutos que dura el viaje a la iglesia. Tiene los ojos cerrados y la mandíbula apretada. Tino la mira con adoración todo el trayecto: quiere memorizar su perfil antes de que Rufino le arranque a su hermana para siempre. Cuando llegan a la iglesia obedece la orden de Dino y los deja solos en el auto, para que nadie la vea hasta que todo esté listo. Cruza los doce metros que lo separan de la puerta pateando una piedrita mientras esquiva las miradas de invitados, periodistas y curiosos. Bruno detiene a dos fotógrafos que lo apuntan con sus cámaras; algo le huele mal desde el instante en que ve un par de caras conocidas: empleados de una de las últimas empresas que quebró su padre.

–Pirañas –dice Razzani–, son pirañas.

Paraguay asiente, aunque nunca en su vida vio una.

Casi no respira desde que lo vio entrar en la cocina, donde Irma lo dejó sentado frente a un vaso de leche, con el yeso recién puesto apoyado en un banquito de madera y la orden de que no se moviera de ahí hasta que ella volviera de la iglesia. Por el ventanal que da al jardín Razzani observa al ejército de empleados que ultiman los detalles para la boda, y se sirve un vaso de whisky.

–Paparazzis, fotógrafos, periodistas, y la gente que se alimenta de lo que ellos le dan... ¿Sabés qué hizo mi familia?

–¿Plata? –arriesga Paraguay.

–Que millones de personas sueñen con una vida excitante.

Un aleteo de su mano izquierda hace retroceder a una mucama que entra con una bandeja repleta de copas.

–¿Vos sabés quién era Onassis?

A modo de respuesta Paraguay arquea las cejas, la cabeza atornillada al cuerpo como un bloque de cemento.

–Hubo un hombre que se llamó Aristóteles Onassis. Vivió en un siglo en el que las viejas ideologías murieron para que otras nacieran. Un siglo que derrumbó imperios y separó al mundo entre Oriente y Occidente. Siglo del consumismo, del star system, de la tecnología; siglo de las curas a enfermedades mortales, del trasplante de corazón, de las arterias y el sexo; siglo en el que el hombre inventó la bomba atómica, partió el átomo, conquistó el espacio y caminó en la luna. Sin ser un político ni un héroe ni un artista ni un campeón ni un astronauta ni un inventor, nunca antes un hombre griego acaparó así la atención de la prensa mundial... Fueron ellos los que crearon la leyenda del círculo de Onassis: los casamientos, las muertes y los romances de su familia fueron festines para los paparazzis. Los canales de televisión, los diarios y las revistas sacrificaron fortunas exorbitantes, y alquilaron aviones y helicópteros a cualquier rincón del mundo con tal de asegurarse una exclusiva que alimentara el hambre insaciable de escándalo de sus audiencias... Semanas antes de que el viejo Onassis muriera, un periodista muy joven le hizo una nota. Cuando terminó, apagó el grabador y le suplicó que le dijera cómo había hecho su fortuna. Onassis se dio la vuelta y señaló una silla. «¿Ve esa silla?» El periodista tuvo que girarse para mirarla. Asintió. «Yo la vi primero», dijo Onassis. El periodista era demasiado joven para entender que aquel hombre le había regalado la clave de cualquier fortuna.

En la capilla no entra una persona más, ni sentada ni de pie. Los niños del coro del Valle de Uco cantan el Ave María vestidos con túnicas blancas. Sus padres espían por las ventanas: no miran a sus hijos, miran la aristocracia de la capital salpicada de nuevos ricos. Bruno esquiva a un par de nenas que corretean en la entrada, a punto de encabezar el cortejo. Camina hacia el Mercedes, listo para acompañar a Sonia hasta la puerta de la iglesia. Sin darse cuenta, tararea la canción con la que la despertaba cada mañana camino al colegio, despabilándola con un trabalenguas de malas palabras que la hacía reír a carcajadas.

–No es tuya –se dice en voz baja, cuando al final del recuerdo siente una puntada de nostalgia–. Nunca fue tuya.

Se detiene dos metros más adelante, al ver a Dino montado como un cuervo encima de tanta blancura. Escondida detrás de los vidrios polarizados ve la sonrisa de Sonia: gime abrazada al cuello del alemán, olvidándolo todo –maquillaje, peinado y vestido– con tal de que él no se detenga. Cuando abre la puerta está más tranquila que en años. Hasta su olor es otro; el zarandeo le arrancó la frigidez. Se acerca a Bruno con un brillo nuevo en los ojos y una sonrisa descentrada por el sexo.

–Estoy lista –dice, con la voz arrebatada.

Bruno la siente temblar en sus brazos durante los cien metros que los separan de la iglesia.

–Tuvo un ataque de pánico –dice Dino, exhalando una bocanada de humo–, la tuve que ablandar un poco. Estas muñequitas de cristal siempre quieren lo mismo...

–¿Qué quieren?

–Que alguien las sacuda.

Con la marcha nupcial de fondo, Bruno tolera la provocación sin pestañear. A su lado, su sombra tailandesa lo observa en silencio. No acaba de entender las sutilezas del castellano, pero hace años que lee a su marido antes de que abra la boca. Lo sigue hacia el interior de la capilla y se acerca para murmurarle al oído lo mismo que piensan todos al ver a Sonia entrar del brazo de Tino: que nunca la vio tan radiante, que camina hacia el altar levitando como una santa.

–Era el secreto de Onassis: ver las cosas antes que los demás. A mí me pasó toda la vida. Ahora mismo cierro los ojos y puedo decirte lo que está a punto de pasar. Acá yo controlo quién entra y quién sale. Le puedo revisar el bolso hasta al cura. Pero no: ella quería su iglesia. Mi hija es demasiado frágil para el mundo que le tocó. Y ahí afuera puede pasar cualquier cosa... ¿Por qué creés que insistí para que se case acá adentro?

Paraguay mete en el yeso el mango de la cuchara bañada en leche. La herida le pica tanto que quisiera arrancarse la pierna. La mezcla de fascinación y terror que le produce Razzani le dilata las pupilas, paraliza sus glándulas salivales y toda actividad cerebral. Acorralado y tenso, listo para huir como las presas que junta para él en sus cacerías, Paraguay lo deja hablar sin escuchar una palabra.

–¿Qué culpa tiene ella de quién soy yo? ¡¿Qué culpa tiene Valentino?! ¡¿Qué culpa tiene Juana?! –escala Razzani, tan inflamado que la oratoria ya es verso–. ¡¿Qué culpa tenés vos?!

Tanta florida verborragia lo ciega, impide que vea la similitud de sus rasgos con los del niño que tiene enfrente, todo parentesco camuflado bajo la piel tostada de Paraguay. Asfixiado por tanta súbita intimidad, el chico mira la inmensidad del campo, sin saber que es nostalgia lo que siente: extraña la aridez de sus montes, la simpleza de su abuelo, mirar a los ojos, hablar en guaraní, dormir sin miedo... No aguanta las ganas de acallar a este extraño petulante a gritos, aullando *¡Que viva el Chaco!*

–¿Cómo?

Paraguay levanta la mirada del vaso de leche.

Razzani muerde un pedazo de hielo y, por una vez, espera. Lo observa como si esperara algo de él, algo más que juntar los animales muertos, ponerle la pierna a tiro y escuchar en silencio...

–Dijiste *Chaco* –dice.

El hijo de Irma niega con la cabeza y Razzani no insiste (nada en el mundo le importa menos que la región del Chaco Paraguayo).

–Sonia necesita estar guardada, tener a mis nietos tranquila... Necesita un fuerte. ¿Vos sabés qué es el Lejano Oeste? ¿El desierto, los cowboys, los indios?

Paraguay dice que sí con ojos secos, aunque quiere llorar.

–En esa época había fuertes para los blancos y desierto para los indios. Hoy es más o menos igual.

Mezclada con la lluvia de arroz viene la lluvia de huevos. Destinados a la cabeza de Razzani, apuntan a la hija. Los proyectiles gastronómicos dejan a los novios y a gran parte de los invitados pegoteados antes de que logren atrincherarse en el interior de la capilla. Hay un momento de pánico; un parpadeo en el que todos maldicen estar ahí, escondidos en la iglesia polvorienta de una provincia cualquiera. Ametrallados por los flashes de las cámaras. Sonia tiene un ataque de risa y uno de llanto que se suceden a intervalos en los quince minutos que tarda la policía en llevarse a los rebeldes. En el viaje de regreso a la estancia, Irma se encarga de fregar cada una de las salpicaduras del vestido de Chia. Una prima platinada, conductora de un programa de televisión, cacarea sin pausa para que vuelva a reinar la calma. Es una idiota magnética, capaz de cautivar al país entero con sus naderías.

–Lo importante es que hablen, negra, bien o mal pero que hablen.

Es la única que la sigue llamando negra en privado, sin acostumbrarse al nombre que le inventó Razzani cuando la arrancó del modelaje (o del fango, como le gusta coronar la historia del rescate sin que nadie entienda si es un halago o un insulto).

–Vos sabés que es verdad lo que me dijo una entrevistada: la fama te va aclarando el pelo.

Saca un espejito de la cartera y acomoda sus extensiones,

LA FURIA DE LA LANGOSTA

zigzagueantes como culebritas albinas, mientras Irma apoya su mano aplomada y áspera sobre las de Chia para que dejen de temblar.

–Tranquila –le susurra.

Siempre fue así: le enseñó a amamantar a sus hijos, a dormirlos y a destetarlos poniéndole café en los pezones.

Veinte metros más adelante, encabezando la hilera de autos importados, Tino deja que su hermana le quite pedazos de cáscara de huevo del frac. Tiene las manos pegoteadas y un gusto rancio en la boca, pero no se queja. Dino los mira por el espejo retrovisor: los recién casados están en las puntas, Juana y Tino en el medio, los cuatro bañados en huevo.

–No me dolió, no me dolió nada –repite Juana, sobreexcitada por la agresión–. ¿Viste que había nenes entre los tirahuevos?

Sonia la apoya contra su cuerpo para calmarla.

–Eso que me pegó acá, pero no me dolió ni un poquito.

Mientras acaricia la marca que su hermana tiene en la frente, Sonia encuentra la mirada del alemán en el espejo retrovisor y se sonroja. No es vergüenza; es deseo.

–Lo único que quiero es que empiece la luna de miel y estar lejos de todo... Sabés que Dino viene con nosotros, ¿no?

Rufino asiente mordiéndose el labio para no sonreír, mientras entran a la estancia como sobrevivientes de una batalla.

* * *

En la puerta reforzaron la seguridad: revisan hasta los baúles para evitar el contrabando de paparazzis. Los únicos fotógrafos y periodistas que entran al oasis mendocino son aliados de hace años para quienes Razzani no va a estar en esa boda (ni en sus fotos) aunque brinden con él entre toma y toma. Todos tienen algo que decir, un arco que va desde el pésame por el destierro que lo tiene saltando de un campo a otro a la indignación por la montaña de injurias con la que muchos pretendieron destrozar su nombre en los últimos meses. Razzani abraza a cada miembro del círculo con la emoción de un resucitado. Para evitar explicaciones, se dedica a beber y a bailar. Caminar en la cornisa (con el helicóptero listo en medio del campo de golf por si un allanamiento lo obliga a desvanecerse) lo hace disfrutar de cada copa como si fuera la última.

–Después de la luna de miel se van a vivir a Punta del Este –le susurra a su hija al oído mientras bailan el vals–. Desde hoy la casa frente a La Brava es tuya.

Desde la ventana de la cocina, Paraguay los ve bailar, pelear por un ramo, arrancar cintas de una torta de seis pisos, adornar piernas con ligas; ve el desparramo de sushi, de ciervo, de pavo; ve cómo el día oscurece cargado de ritmos: karaoke, reguetón, salsa, merengue, disco, carnaval (todo bailado con el mismo estilo) y cómo el atardecer encuentra a cada invitado, hasta a su madre, con un cotillón de primer nivel, revoleando la dignidad al son del *pe-pe-pe-pe*. Lo ve todo rascándose la pierna enyesada con el mango de la cuchara que lo acompañó el día entero, y nunca –ni por un segundo– deja de sentir nostalgia por las planicies del Pilcomayo, donde podía correr sin miedo a que le balearan las piernas.

* * *

Bruno los encuentra aplastados en una reposera, comiéndose las frutas hinchadas de un clericó. Sus camisas blancas salpicadas de vino, sus cuerpos desencajados como muñecos de trapo... por un parpadeo ve a Tino acribillado a balazos y la imagen lo paraliza hasta que los escucha reírse, Frankie aferrado a la reposera como un náufrago a una balsa.

–Te quiere preguntar algo pero no se anima –dice Frankie, y le pega un golpecito en la nuca a su amigo–. Preguntá.

Pero Tino niega en silencio, le cuesta hablar por la cantidad de durazno fermentado que tragó.

–Quiere saber a cuánta gente mataste.

Desde el día en que balearon a Paraguay no piensan en otra cosa que en disparos y matanzas.

–Yo no maté a nadie, pero mi hermano sí... –sigue Frankie, que no puede parar de hablar–. Rufino mató a un rugbier que quedó abajo suyo en un scrum. Cuando se levantaron estaba muerto, la cara hundida en un charco. Dijeron que fue un accidente, pero esa noche lo encontré llorando en la bañadera. Había sentido todo: el pataleo, el grito ahogado... No se movió porque pensó que exageraba.

Cuenta su historia entre balbuceos, con la mirada desencajada.

–Quiero aprender a tirar –dice Frankie.

–Yo también –dice Tino.

Bruno obedece en silencio cuando la tailandesa le ordena con una seña que les quite los zapatos para arrancarles los demonios con sus dedos de aguja y el mismo dialecto de la tierra de Siam con el que ahora murmura que sólo existe el presente, aunque las historias se escriban en pasado y nos pasemos la vida planeando el futuro.

–El presente es nuestra condena, nuestra cárcel, nuestro enemigo íntimo, el único lugar que conocemos de memoria, el único espacio palpable –dice, como si cantara–. Sólo cuando nuestro futuro se transforma en presente es real.

A doscientos metros de distancia, Dino abre los ojos con el golpeteo de una uña contra el vidrio polarizado del Mercedes. Rufino le sonríe del otro lado del vidrio. Lo mira un largo rato antes de despertarlo, tan conmovido que hasta susurra en verso:

Nunca antes
alguien arrancó un suspiro
tan genuino
como el que Dino le robó a Rufino

Los dos tienen motivos para celebrar: al segundo nadie lo mira igual desde que Razzani lo recibió en la pista con los brazos abiertos.

–Hoy gané un hijo –dice, tan fuerte que aplauden todos.

A Dino, tener la parejita en sus manos lo excita tanto que hasta manotea la réplica de mazapán que corona la torta para arrancarles la cabeza de un mordisco. Baja la ventanilla mientras esconde a los decapitados de azúcar debajo del asiento con la punta del pie.

Rufino se pasa la lengua por los labios secos antes de preguntar:

–¿La conseguiste?

Con los mismos dedos azucarados que desvirgaron a su mujer, el alemán saca un papelito del bolsillo de su camisa.

–Vamos al baño –pide Rufino, con la voz ronca.

La noche anterior, mientras fumaban parados frente a la oscuridad de la cancha de golf, Dino se quedó mirando el perfil griego de Rufino, ya sin poder domar su fascinación. Iluminado con el glamour de una estrella del cine mudo por unas luces halógenas, vio de pronto un detalle que le humedeció la boca. Sin pensar en lo que hacía llevó su dedo meñique a la nariz del cornudo y le quitó una pizca de cocaína con una delicadeza que le hizo olvidar a Rufino que se casaba al día siguiente, que Sonia lo esperaba en la pileta, que era un rugbier católico, economista y virgen.

El segundo que tardó Dino en llevar la cocaína de una nariz a otra le confirmó lo que sabía desde séptimo grado.

–Es cara, pero no es buena –dijo su enamorado de la Bonaerense con el sabor amargo todavía en la boca.

–Mañana traeme una mejor –lo desafió Rufino.

Mientras Dino prepara las rayas con pulso de artesano, Rufino espía su boda desde la ventana de un baño del primer piso. Por un segundo cree que el que se casa es otro, hasta que ve a Razzani susurrándole algo al oído a Sonia. Quiere imaginar cómo va a ser el mundo cuando su suegro ya no esté acá –llenándolo–, pero no puede.

La furia de la langosta

7

Langosta ahogada en Jerez, el plato favorito de Razzani. Irma pasa la tarde cocinándola a fuego lento. Tino no se separa de ella desde el momento en que la ve llegar de la pescadería. No hace preguntas, pero el brillo en los ojos de la paraguaya le confirma su sospecha. Empieza a entender que hay cosas que no se olvidan.

Como la pregunta que le hizo a Razzani años atrás:

–¿Si fueras animal qué serías?

–Animal no, crustáceo.

–¿Crus... qué?

–Langosta.

Mientras el olor de esa carne blanca que hace aullar de placer a su padre inunda la casa, Tino repite las palabras de Razzani en voz baja, descubriendo sobre la marcha que las recuerda de memoria:

–Cuando llega el otoño, las langostas que viven donde vos naciste tienen que migrar hacia aguas más profundas para evitar los huracanes.

Tino nació en las Bahamas a fines de noviembre. Nunca había pasado un verano en Buenos Aires: antes de cumplir los doce conocía los hoteles de cinco estrellas y los mejores destinos turísticos del mundo. Chia rompió aguas dos meses antes de lo previsto, en un jacuzzi. Razzani venía de la terraza, desnudo, cuando escuchó el primer grito de su mujer. Al año lo llevaron a Disney, al de Estados Unidos en verano y al de Europa en invierno; a los dos años hizo un safari por África; anduvo en camello a los tres, en globo aerostático a los cuatro, en jet a los cinco. A los seis, Razzani compró un predio de cien metros en un cementerio privado, subió a todos al auto y partieron hacia el Jardín de Paz. Tino nunca había estado en un lugar así –caminando sobre los muertos entre azaleas y jazmines– ni imaginaba que pudieran existir cementerios sin lápidas. Eran tantas las rosas blancas que rodeaban el pedazo de tierra que había comprado su padre, que el aroma, después de unos minutos, se le hizo empalagoso. Mientras Juana correteaba entre mariposas, ajena a los mares de descomposición que se extendían bajo sus pies, Razzani les explicó a sus hijos, a su esposa, a su suegra y a su madre que el descanso de todos estaba resuelto: la tierra sobre la que estaban parados era para uso exclusivo de la familia. Durante los siguientes trescientos años no habría más cuerpos que los suyos en aquel jardín encantado. Juana se detuvo al escucharlo; miró el césped que brillaba bajo sus pies con una mueca de asco y salió disparada hacia el cemento de la entrada. Aquella noche, para festejar que lo tenía todo resuelto (hasta la muerte), Razzani pidió una cena de langostas y le contó a Tino el secreto de su supervivencia.

–En esa migración, las langostas recorren fondos de arena muy lisos en los que quedan expuestas... ¿Sabés qué hacen? Se juntan en el fondo marino, forman fila y se entrelazan entre sí, las antenas de una protegen el abdomen de la que va adelante. Así, escondidas, avanzan lejos de la furia de los huracanes. Comen todo lo que hay en el fondo marino... Y si no encuentran nada se convierten en caníbales.

–¿Caníbales? –susurra Tino, encantado.

–Predadores. Capaces de hacer lo que sea.

Sonríe al ver que Irma hunde las langostas en el agua hirviendo: la vida está volviendo a la normalidad. Lo sabe desde que los dejaron encender el televisor de nuevo. Juana entendió el trato desde un principio: cada vez que los dejaban solos por unos minutos, sin la guardia de mucamas, niñeras y guardaespaldas, cedía el control remoto a su hermano y corría a la puerta del playroom, mientras Tino apuntaba a la pantalla para disparar una y otra vez hasta que un noticiero les regalara una imagen de Razzani: fotos viejas y videos de eventos sociales que lo mostraban como era antes, cuando era un honor y no una vergüenza contarlo entre los invitados de un evento. Verlo así, aunque fuera en un pasado que ya no existía, sin volumen y sin leer los titulares que lo trataban como a un delincuente, alcanzaba para dejar a Juana sonriendo el día entero. Cada día lo nombraban menos. Punto a punto, con cada pico de rating que conquistaban los rumores nuevos, el mundo entero empezaba a olvidarlo. Hasta que ya no apareció una noticia sobre él durante días.

No hace falta que nadie le confirme su sospecha: Tino adivina lo que va a pasar desde que Irma pone las langostas a hervir. Puede sentir la excitación de las mucamas y guardaespaldas que le sacan brillo a los muebles, autos, cubiertos de plata y zapatos de cuero con la misma urgencia que lo lleva a peinarse con gel y perfumarse hasta la náusea. Minutos después le quita el polvo a las piezas de ajedrez que Razzani dejó en su escritorio la noche que se fue. Al apoyar cada una en su lugar imagina las jugadas con las que va a acorralar a su padre hasta obligarlo a rendirse. Cuando el aroma de las langostas ya es indisimulable, se atrinchera en el palier para espiar por la ventana cada auto que se acerca. Deja que las luces lo encandilen sin bajar la mirada.

Espera.

Todos esperan.

Irma plancha su uniforme de gala con tanta furia que termina quemándole el encaje del puño izquierdo, Chia se prueba un conjunto detrás de otro y Tino ni siquiera levanta la mirada del tablero de ajedrez cuando Juana le pregunta quién viene a cenar. Ella también está inquieta, intuye que algo va a pasar: la mesa está puesta en el comedor, con los platos que usan para ocasiones especiales y un lugar más en la cabecera. Para no ilusionarla demasiado, Tino dice que es una sorpresa. Una sonrisa alcanza para que corra a ponerse el vestido que le compraron para la Primera Comunión.

Pero las langostas se pasan, las luces de la cuadra se apagan y Juana se duerme en brazos de su madre antes de que Tino escuche una llave girando en la puerta de entrada y se asome justo a tiempo para ver a su padre cruzar el umbral con una botella de champagne en cada mano. Por un instante no hacen más que mirarlo, petrificados. Irma es la primera en acercarse a saludarlo. Le quita las botellas y larga una risotada cuando la agarra de la cintura para estamparle un beso en la frente, mientras levanta la nariz para inspirar el olor azafranado que ya está en todos los ambientes.

–Andá a servir, que me muero de hambre –dice.

Esa noche todos escuchan embelesados las anécdotas de sus días en el campo, contadas con la grandeza de un soldado que vuelve a la Patria condecorado por la valentía de haber tolerado la vida en el frente.

–Alguien abrió la boca después de la boda, tres días después llegó el Tuerto al galope y dijo que había dos autos de policía cruzando la tranquera. Tuvieron que esperar ocho horas hasta que llegó la orden de allanamiento, pero al final entraron y lo revisaron todo. Igual a esa hora ya estábamos aterrizando en Lobos. Me ofrecieron cinco campos, pero me cansé de jugar a las escondidas y vine directo para acá.

Todos saben que está de paso, aunque no lo pregunten.

–Cajonear la causa no es complicado, lo pueden hacer mañana si quieren, siguen jodiendo por la presión de los medios... Por el papá de tu amiguita –le dice a Tino, que asiente como si entendiera.

Aguanta hasta que se sientan frente al tablero de ajedrez para pedirle que se quede. Lo hace sin suplicar, con la entereza de un hombre adulto que puede tolerar las desilusiones.

–No puedo quedarme, pero duermo más cerca que antes.

Abre la ventana y señala el departamento de enfrente.

–¿Ves esa ventana?

El único edificio de la cuadra: tres pisos, recién terminado. Con los carteles de venta colgados del balcón de cada departamento.

–Desde ahora vivo ahí. Es el último lugar en el que me buscarían: justo enfrente de sus narices. Esos hijos de puta me lo pueden sacar todo menos el derecho de vivir donde se me cante.

Sonríe con la tranquilidad de un monje de clausura: va a estar ahí guardado hasta que dejen de hablar de él por completo. Tino no se anima a preguntar qué va a pasar si nunca dejan de hablar de él. *Yo también sería langosta,* piensa (ahora que sabe qué es ser predador y caníbal); *si tengo que elegir, sería langosta.*

El verano en Barrio Parque es silencioso, no se escuchan risas ni zambullidas. Un día después de las fiestas se convierte en un barrio fantasma. Por un agujero en la ligustrina Tino mira con sus binoculares el edificio de enfrente. Tiene prohibido llamarlo, hablar de él y visitarlo.

—Va a ser nuestro secreto, ¿entendido?

Fue lo último que dijo Razzani antes de hacerle jaque.

Tino aceptó la orden de no abrir la boca ni con Juana. Su hermana seguía buscándolo en los noticieros, algunos días pasaba horas frente a la pantalla sin ganas de mirar ni un dibujito. Tino no se quejó cuando Chia anunció que aquel verano no iban a ninguna parte: nada era mejor plan que estar cerca del edificio de enfrente. Había empezado a montar guardia hasta horas insólitas de la madrugada, siempre listo para saltar de la cama si escuchaba un auto acercándose. Una noche de tormenta en que una ambulancia vino a socorrer un preinfarto de la vecina de enfrente, la octogenaria dueña de un multimedio, Tino corrió escaleras abajo y atravesó la tormenta dispuesto a detener con su cuerpo lo que creyó que era una redada policial. Bruno tuvo que entrarlo en la casa a la fuerza, pataleando, y no logró calmarlo hasta que reconoció la sirena inofensiva de la ambulancia.

Con su diminuta existencia humillada y pasada por agua, Tino levantó la mirada hacia las persianas cerradas del edificio de la esquina, seguro de que su padre estaba ahí atrás, sonriéndole.

Pero las tormentas no dejan rastros en las calles de Barrio Parque, que al día siguiente tienen las veredas baldeadas y los pilones de ramas y hojas amontonados en prolijas pirámides, lejos de las alcantarillas. Hacia el mediodía la grama bahiana que viste los jardines con crocantes alfombras de césped reluce una vez más, adornando la blancura de Juana y todo su lánguido aburrimiento. Maia llega a bordo de su bicicleta. Pedalea descalza y en traje de baño, una amazona urbana de pelos revueltos, todavía húmedos por el último chapuzón, con dos triangulitos rosas apenas abultados que apuntan al frente, gritándole al mundo que ya hay algo que ocultar ahí abajo. Tino la ve acercarse a través de los binoculares. Un parpadeo después la tiene encima, sonriéndole del otro lado de la ligustrina.

–Vengo a nadar en tu pileta –dice.

Vive a tres cuadras, en una casa que Razzani llama *El Palacete del Cazador,* un monstruo de tres pisos construido a principios de los noventa, catálogo salpicado de todos los estilos.

–Abrime.

Quince minutos después Tino hunde la cabeza de Maia en lo más profundo de la pileta. Parada en el trampolín, Juana observa en silencio cómo Tino descarga su furia en una misma dirección (hacia abajo), aunque la traidora patalea, abre los ojos, la boca... El miedo llena los pulmones de la hija del Cazador hasta que Bruno la saca del agua de los pelos. Afuera se quedan quietos, mirándose. Escupen agua y lágrimas, rabiosos.

—Estábamos jugando —dice Tino.

Y Maia asiente, temblando, aunque no hace nada de frío.

—Estoy bien.

Siguiendo el vaivén de mentiras como un partido de tenis, Juana está a punto de intervenir en favor de la ahogada, cuando Bruno escupe el veredicto sin sacarse el escarbadientes que le cuelga del labio.

—Si se pelean de nuevo, te vas.

Media hora más tarde sacuden una botella de agua importada para marear a dos moscas que aletean entregadas a su destino. Maia patea la botella hacia Tino y deja que él le devuelva la patada con la misma furia.

—Ya casi están —dice Juana—. Dale un poquito más.

Empalagada de sadismo infantil, la voz le sale más grave. Pelotean un minuto antes de correr a ver si sus víctimas están muertas. Sonríen al verlas aplastadas en una cuneta del plástico: una tiene una pata menos, a la otra le faltan un ala y un ojo. Tino deja que Maia golpee la botella contra una piedra una, dos, tres, cuatro, cinco, seis y siete veces. Festeja cada golpe con la sed de un emperador romano, mientras su hermana salta anticipando la masacre. Con la frialdad de un verdugo, abre la botella: una mosca no se anima a salir, la otra vuela un metro antes de caer en picado. Levanta la mirada hacia su cómplice, pero Maia ya se olvidó de sus víctimas: por un instante cree ver a Razzani sonriéndole desde el edificio de enfrente, parado detrás de un cartel de venta.

—Tu papá —señala el balcón—. Estaba ahí.

La mano le tiembla. Durante un segundo los tres miran el cartel en silencio.

–No... –dice Tino– mientas. (La pausa, demasiado tarde.)

–No miento. Estaba ahí.

Repite, pálida:

–Ahí.

Es demasiado chica para entender el terror que puede producir una pequeña muestra de impunidad desparramada así, para ella nada más, a pleno sol y con la música de fondo de una banda de alondras. Por primera vez, la fascinación que sintió siempre por su amigo y su familia se transforma en otra cosa. En algo muy parecido al miedo de sentirse cómplice.

No es la primera vez que la usan de mensajera: días antes de irse de su casa, Razzani festejó su aniversario de treinta años de casados con una fiesta en la que tiraron la casa por la ventana. A cada hijo le permitieron quince invitados, y estar entre los elegidos era una meta por la que todos los compañeros de Tino estaban dispuestos a pelear. Maia también, aunque fingiera que nada le importaba menos. Cuando recibió una de las invitaciones le rogó al Cazador –de rodillas– que la dejara ir. Tuvieron que mediar su madre y sus abuelos, insistiendo en la necesidad de mantener separadas las enemistades entre niños y adultos, para que su padre finalmente la dejara ir a la casa del hombre que días antes había incendiado en su programa. Maia nunca iba a enterarse de que Razzani le había pedido a Tino que la invitara, ni que había saboreado toda la noche la llegada del carnaval y la repartida de guirnaldas, cornetas y máscaras de payasos, entre las cuales la más requerida fue una grotesca caricatura del Cazador que una veintena de amigos, iluminados por luces rojas como si fuera uno de los círculos del infierno, hicieron bailar en el centro de la pista con la gracia de un mandril, parodiando cada uno de sus gestos. Maia observó el baile desde una de las mesas. Aguantó quince minutos antes de correr hacia la puerta. A pocos metros de subirse al auto que la esperaba en una calle atestada de chóferes y guardaespaldas, Tino la agarró del brazo para jurarle que él no sabía nada.

–Te lo juro –repitió, con lágrimas en los ojos.

No hacía falta; Maia entendía cuál había sido su rol en la fiesta: ser testigo de la parodia y huir ciega de vergüenza para derrumbarse en brazos del Cazador, sin escatimar detalles de la noche en que sus enemigos lo transformaron en el más idiota de los bufones.

Maia conoce a los Razzani desde que nació. Sabe que en el living, debajo de las revistas de decoración que la mamá de Tino despliega como un abanico de buen gusto, Razzani puso la misma cantidad de revistas de mujeres desnudas. Tino se las mostró a ella y a Frankie como un trofeo la primera noche que se quedaron a dormir en su casa.

–¿Y por qué las esconde acá? –preguntó Frankie, con los ojos desorbitados por las curvas de una rubia que había sido morocha.

–Porque él decide qué se muestra y qué se esconde. Le gusta que estén así: casi a la vista, pero invisibles.

Acostada debajo de la mesa de vidrio, Maia se quedó mirando las fotos, segura de que Razzani podía desplegarlas en el hall de entrada sin que nadie se animara a hacer nada más que quitarles el polvo.

Con las fotos de las primeras mujeres desnudas que vio en su vida todavía en los ojos, Maia corre con zancadas de liebre los metros que la separan de la calle. Tino la sigue pisándole los talones y patea la bicicleta antes de que ella alcance a subir.

–No te vayas.

Meses antes, Maia lo habría empujado riéndose; ahora da un paso atrás y le pide –le ruega– que la deje ir.

–Si saben que estoy acá me van a matar.

El balcón está vacío cuando levanta la vista.

–No nos vamos de vacaciones. Papá va a dirigir un diario nuevo. Ayer vino gente a comer a mi casa y hablaron de tu papá. De cómo manejar noticias como la de tu papá.

Tino asiente, a esta altura acostumbrado a que su padre sea una noticia manejada por los medios.

–¿Qué dijeron?

Maia duda antes de repetir el veredicto del Cazador.

–Que no hace falta encontrarlo –dice–. Que se matan entre ellos.

Mira a Tino con una pizca de miedo.

–¿Quiénes son ellos?

Maia mira hacia el cartel de venta del edificio.

–*Ellos* –repite.

A unos metros de distancia, Bruno los observa parado cerca de la puerta de servicio. Cuando Maia le pide que abra el portón, tarda unos segundos en hacerlo; indicándole sin estridencias que obedece porque quiere.

El portón de cedro se abre lo suficiente para dejarla pasar. Haciendo equilibrio, con las piernas clavadas como estacas encima de los pedales, Maia mira a Tino mordiéndose la lengua, hasta que al final (es su naturaleza) no puede evitarlo y pregunta:

—¿Qué es tu papá?

Sin esperar una respuesta cruza el portón hacia la calle. Tino la mira a través del portón todavía entreabierto que los separa.

—¿Cómo qué es?

Maia le sonríe.

—¿De qué trabaja?

Tiritando mientras sigue el combate de preguntas y respuestas, Juana está a punto de decir «empresario», pero se calla.

—No sé —dice Tino.

Odiándose por haber sido tan dócil, tan ciego, por preguntar tan poco durante tanto tiempo.

—Tenés once años, ya no podés no saber.

Categórica y cruel, se aleja pedaleando parada por el medio de la calle. El golpe del portón, que se cierra a centímetros de la nariz de Tino con la fuerza de una caída de telón, lo obliga a dar un paso atrás. Minutos después Maia le manda un mensaje desde su celular.

> *Los hombres como tu papá hacen que el mundo*
> *sea cada día un poquito más feo.*

Tino lo borra sin leerlo dos veces.

8

Pasa los días de enero encerrado en su cuarto, montando guardia con los binoculares que le regaló Razzani. A media mañana baja a la cocina para observar en silencio la vianda que prepara Irma. Unos minutos después, Paraguay sale de la casa con los caniche toy de su mamá, cruza la calle con su cojera, cada día más suave, y le entrega la vianda al portero. Tino lo sabe todo sobre el edificio de enfrente: que su padre es el único inquilino; que el resto de los departamentos los reservaron todos al mismo tiempo, aunque nadie los ocupa; que el arquitecto es un amigo íntimo de la familia de Frankie; que el único con llave de la terraza es Razzani y que es imposible verlo debajo del techo de chapa que colocaron dos días antes de la mudanza; que nadie circula por aquella calle de Barrio Parque salvo las guardias periodísticas y policiales, que poco a poco van perdiendo la esperanza de encontrar ahí una primicia; que la única persona que entra al edificio con llave propia es una mulata adolescente de piernas larguísimas, y que su padre –antes de recibirla– cierra las persianas por completo.

*   *   *

Camina meneándose frente a las mansiones de Palermo Chico, mirando las garitas privadas y los autos importados con una mueca que se debate entre la fascinación y el desprecio. Tino se para frente a la ventana de su cuarto y deja que ella lo vea. Primero desde la calle, después desde el departamento. La mulata levanta las persianas unos centímetros para espiarlo por entre los tablones. Tiene los ojos tan verdes que Tino puede verlos con sus binoculares como si la tuviera enfrente.

Al día siguiente Irma lo encuentra durmiendo al lado de la ventana, afiebrado, con los círculos rojos todavía marcados y los binoculares colgados del cuello.

–¿Quién es? –pregunta, antes de abrir los ojos.

Irma apoya la bandeja del desayuno y le mete el termómetro en la boca para callarlo. Tino enrosca la lengua alrededor del vidrio ovalado, y arremete:

–La negra.

Sabe que Irma no va a darle una respuesta. No se mueve de su puesto de combate hasta el mediodía. La ve salir por la puerta de servicio y se para frente a la ventana con las persianas abiertas de par en par.

–Mirame –susurra– Aunque sea una vez... mirame.

Y la mulata, como si lo escuchara, levanta la cabeza hacia él. Tino le sostiene la mirada –hechizado– aunque sabe que no deberían. (La regla es fingir que nada anormal está pasando en esa cuadra.) Pero no puede evitarlo: cuando la ve alejarse sale corriendo de su habitación sin pensar en qué va a decirle si la alcanza. Saca su bicicleta del garaje. No sabe por qué ni para qué, pero la sigue una, dos, tres, cuatro, cinco cuadras, esperando que se suba a un auto, a un colectivo, a un tren; pero ella avanza sin apuro y sin mirar atrás ni una sola vez. No le molestan la lluvia ni el viento. Camina como si bailara, y la gente se da vuelta para mirarla. Hasta que llegan a la avenida que separa su barrio del resto de la ciudad. Tino se detiene, tiene prohibido cruzarla. La ve avanzar por la senda peatonal. Sin pensar en lo que hace, avanza y cruza el límite, pedaleando entre calles desconocidas con la vista clavada en la nuca de la mulata. Vive en un departamento de Las Cañitas, al fondo de una calle arbolada que muere en el Hipódromo. Del otro lado de la ligustrina, media docena de caballos se le vienen encima, los lomos inclinados hacia el suelo por la pendiente de una curva. Salen de una neblina espesa en la que vuelven a sumergirse apenas unos segundos después. Tino siente el vértigo de la corrida y la estela de adrenalina que los animales dejan atrás. Recién ahí se da cuenta: nunca estuvo solo tan lejos de su casa. Cruza la calle, apoya la bicicleta en un cantero y toca todos los timbres hasta que alguien responde con un acento extraño.

–Yo –dice Tino, sin prepotencia.

Ella tarda unos segundos en abrirle.

Lo espera al final del pasillo con la puerta abierta, un solero blanco y el pelo suelto. En su mesa de luz hay una foto con Razzani: están en una terraza, con el mar de fondo. Ella está sentada sobre las piernas de su padre, riéndose, con un par de años menos.

–La Habana –dice.

Da vuelta el portarretratos y tira un pulóver sobre la cama.

–Te llegas a enfermar por esto y tu padre me mata. Bah,

me va a matar de todas formas. Acabo de hablar con Bruno. Está llevando a tu mamá a la peluquería y viene a buscarte.

Tino baja la vista y ve que a sus pies se está formando un charquito de agua que tiñe la alfombra morada de un color más oscuro, como si se estuviera desangrando.

—Ayer vi una foto de tu mamá. Es hermosa, tan elegante. Yo no soy elegante, ¿o sí? No es que quiera serlo... Alguien dijo que la elegancia es fría... o que enfría, no me acuerdo, pero tiene razón.

Tino le pregunta cómo se llama.

—Delia.

Sale del cuarto sin dejar de hablar.

—Es nombre de vieja, ¿no? ¿Cuánto años creés que tengo?

En la foto, Razzani tiene una mano apoyada sobre su pierna.

—Quince —dice, mirando la foto.

—Cerca: diecisiete. Quince estoy cumpliendo en la foto.

Habla desde la cocina, entre ruido de ollas, mientras Tino se desnuda pensando que su padre hace lo mismo cada vez que viene a verla. Mira la cama de dos plazas con sábanas nuevas.

Pregunta si lo conoce desde los quince.

—¿A tu papá? Desde los trece. Trabajando. No, no trabajo con él pero lo conocí trabajando. Jinetera. No te miento. No, no monto caballos... ¿En qué grado estás? Yo también estoy en cuarto. Bueno, casi... Quiero volver al colegio pero tu papá dice que no hace falta. En el ascensor del Habana Libre. Un hotel. El conserje me encontró dando vueltas en un pasillo y me metió en el ascensor. En el piso siete subieron tu papá y Bruno. El gerente me soltó el brazo, tu papá lo estaba mirando por el espejo. Salí del hotel y caminé una cuadra hasta la rambla. Tu papá me siguió. Se quedó mirándome un rato antes de acercarse. Me invitó a tomar un helado. Le dije que estaba esperando al viento. No es que no quisiera el helado, pero me incomodaba que Bruno estuviera ahí paradito, mirándonos. Es una regla que aprendí de una amiga: de a uno. Dos es para problemas. Las tumbas las traen las jaurías. Tu papá se puso a caminar conmigo, quería saber qué era eso del viento. En la isla, los días de viento permiten que lleguen todos los canales derechito desde Miami. Estaba empezando a soplar fuerte y era la noche de *Beverly Hills 90210*. Tu papá no me creyó, pero caminó conmigo las quince cuadras hasta la Habana Vieja. Cuando llegamos, mis hermanos estaban en el techo pegándole a la antena. Tu papá le dijo a Bruno que se trepara. Lo primero que apareció en el televisor fue la trompa del descapotable rojo de Dylan. Kelly tenía las zapatillas apoyadas contra el vidrio. Tu papá me dijo que yo iba a tener todo eso: el descapotable y las zapatillas. No debería contarte todo esto, debería callarme ya mismo.

Esa noche despierta sin aire. Irma lo sienta en la cama y le coloca el vaporizador como le enseñó el doctor, acunándolo en sus brazos y frotándole la espalda para que se duerma. La nota se la trae Bruno la madrugada del segundo ataque de asma, escrita a mano con letra de Razzani:

Si los huracanes golpean otras costas, las langostas
pueden asomar la cabeza, si se les vienen encima,
tienen que esconderla de nuevo.
Vos respirá tranquilo, yo estoy bien

Sonríe mirando el mensaje secreto. Los días anteriores le prohibieron ir a verlo, llamarlo y hablar de él. Después de ir a buscarlo a casa de Delia, a la eterna lista del *no* Bruno le sumó no seguir a la cubana nunca más. En realidad les propuso dos opciones: blanquear ese mismo día que Tino la había seguido o convertir ese encuentro en el primero y último, además de en un secreto entre los tres. Sabía los riesgos que corría con la segunda opción. No lo habría hecho sin saber que Tino, a los once años, ya era un hombre de palabra. Lo que no podía haber adivinado era que tantas prohibiciones y secretos se enquistarían en los pulmones del chico, detonando la asfixia.

Mientras Irma lo acuna en sus brazos, susurrándole palabras en guaraní, su madre lo mira desde un rincón oscuro del cuarto. Los ataques de asma de su hijo la paralizan. No se acerca ni al ver que Tino no puede cerrar los ojos, fijos en la persiana de madera que mantiene escondido a su padre, a oscuras el día entero; un vampiro que no sale ni de noche.

–Debe de estar tan aburrido... –dice, tan bajito que el único que lo entiende es Bruno, desde la puerta (aprendió a leerle los labios después de años de mirarlo de lejos)–. ¿Por qué la otra noche pudo volver?

–Porque todo el mundo estaba hablando de otra cosa.

–¿Quién es todo el mundo?

–La televisión, los diarios.

–¿De qué hablaban?

–De unas coimas en el Senado.

–¿Qué son coimas?

–Plata sucia.

–¿Qué?

–Shh. Basta. Dormí.

La noche del tercer ataque, después de que las caricias de Irma y los saques de oxígeno finalmente logren dormirlo, Tino despierta en brazos de Bruno envuelto en una frazada. Cruzan la calle que separa su casa del departamento, en la penumbra.

–Quiere verte –dice, sin darle tiempo a preguntar a dónde van.

Mientras Bruno abre la puerta con una llave y sube los tres pisos por la escalera sin encender ninguna luz, a Tino se le cruza por la cabeza una idea insoportable: que todas las acusaciones contra Razzani son ciertas (y otra aún peor: que aunque todo sea cierto, no dejará de quererlo).

9

Adentro hay una única luz encendida, amarillenta y tenue; un velador antiguo apoyado sobre una mesa de nogal, cerca de la ventana. Razzani está sentado frente a un tablero de ajedrez, acomodando las piezas. Parece otro. Tino lo observa unos segundos para asegurarse de que es él. Se despabila al ver que la cabeza de su padre, en menos de un mes –desde la última vez que lo vio–, se había puesto blanca. Antes de irse de su casa tenían un juego: decapitar las pocas canas que se animaban a poblar el impecable casco negro de Razzani. El decapitamiento corría a cuenta de Tino: se paraba en un banquito y las arrancaba una a una con la frialdad de un verdugo. Ahora, mientras se acerca para dejar que lo abrace y lo bese, se pregunta si lo llamó por eso: para que le arranque la cabeza entera.

No se equivoca.

Está ahí porque en la locura del encierro y el insomnio, después de que media docena de somníferos y calmantes no lograran dormirlo ni aplacar la erupción de furia, angustia y soledad que lo mantuvo caminando en círculos durante horas, Razzani manoteó el celular y, sin importarle las reglas que él mismo había impuesto, discó el número de Bruno para exigirle que le trajera a su hijo de inmediato.

–Hoy juego con todas –dice.

Tino asiente, aunque nada tiene sentido: que lo arranquen de su cama, jugar al ajedrez en medio de la noche o que las manos de su padre tiemblen cuando mueve el primer peón en diagonal, hacia la derecha, con todas las piezas sobre el tablero, sin darle ventaja por primera vez en la vida. Y mucho menos que juegue con las blancas, porque si hay algo que Razzani odia, son las blancas.

–Si volviera a empezar haría las cosas exactamente igual –dice, antes de sacrificar un alfil.

Siempre fue un buen jugador. Piensa la vida como una guerra, hasta en momentos de paz. Juega para ganar, aunque lo que de verdad lo excita es todo lo que puede perder.

–Cambiaría una sola cosa.

Toma un trago de whisky antes de mover la reina hasta el centro. Tino lo mira sin entender qué jugada quiso hacer, (con la certeza de que se equivocó).

–No confiaría en nadie.

Quince jugadas después tiene a su padre acorralado. Imaginó miles de veces ese día; el día en que le ganara. Apaciguado por la presencia de su hijo, Razzani hace un enroque: la torre por el rey. Toma otro trago de whisky y acepta el jaque de su hijo con una sonrisa adormilada, ahora que –por fin– la derrota lo encuentra a pasos del sueño, con la lucidez suficiente para agarrarle la mano un segundo antes de que toque su última pieza.

–No te olvides. Al rey lo acuesta el que pierde.

*   *   *

Despierta escuchando los gritos de su madre. Grita que no aguanta vivir con un fantasma que arranca a sus hijos de sus camas en medio de la noche. Al abrir los ojos ve al rey blanco en la mesa de luz. Razzani no lo dejó quedarse a dormir con él, pero le regaló el rey.

–Por cada partido que ganés te voy a regalar una pieza.

–No te conviene –dijo Tino, con alma de torero.

–Ah, ¿no?

–Si hacés eso, algún día el tablero va a ser mío.

Desde la cama ve que la luz del departamento se enciende a través de las persianas entreabiertas. Ahora su madre abre la ventana y sigue gritándole que le atienda el teléfono si no quiere que todo el mundo se entere de que él está ahí. Tino se encuentra a Juana parada en la puerta del cuarto, mirando a su madre sin animarse a entrar.

–Callate. Si se enteran se va a ir.

Desfigurada por el llanto camina de un lado a otro en el cuarto, sin que la amenaza la asuste.

–Es lo mejor que nos puede pasar: que se vaya.

Se sienta en la cama y deja que Juana se acurruque contra su cuerpo. Tino se queda mirándolas, apoyado contra el tocador en el que –con cinco años– se acostaba debajo para mirar a su madre pintarse para Razzani, tan celoso que no hacía más que repetir:

–Siempre te vas con él.

Al día siguiente citan a su madre en el colegio. La directora le explica que tienen un problema: Juana le dijo a varios compañeros que su papá vive escondido en el departamento de enfrente. Chia hace un esfuerzo inútil para disimular el temblor de su voz (con la misma concentración, y al mismo tiempo, disimula el temblor en la comisura del labio: que Juana no supiera dónde estaba su padre fue una orden de Razzani que todos cumplieron al pie de la letra hasta sus gritos de la noche anterior). Esa mañana las persianas se mantuvieron cerradas. Chia le explica que Juana imagina cosas porque lo extraña.

–Imagina con demasiados detalles –dice la directora.

Se le quiebra la voz mientras habla, aunque sus décadas de oficio le permiten mantener la calma.

–No importa si es fantasía o realidad, hay varios padres incómodos. No les gusta que sus hijos manejen este tipo de información.

Chia asiente varias veces al hilo.

–De todas formas, pensaba llevarlos a Punta del Este el resto del año.

Hace una pausa, porque improvisa sobre la marcha.

–Que cursen un año escolar allá.

La directora sonríe.

–Es una buena decisión.

(Y es tan grande su alivio.)

–Puedo recomendarle un muy buen colegio escocés.

–¿Es bueno el nivel?

–Excelente.

–¿Y el sistema de seguridad?

–Inquebrantable.

Tino la descubre un par de horas más tarde, sentada en la cama, rodeada de joyas que guarda en un alhajero de placa, deteniéndose en un par de aros de esmeralda, una cadenita de oro blanco, un reloj Cartier, una pulsera de zafiros, sacudida por oleadas de emoción, como si la vida hubiera quedado congelada ahí adentro.

–No importa lo que vos querés, tenés once años.

Todavía tiene la ropa de esgrima puesta. Minutos antes subió la escalera corriendo para contarle que aquel día le había ganado a sus rivales blandiendo la espada, derrotando a cada heredero de la clase alta argentina –viejos y nuevos ricos, todos iguales debajo de sus trajes blancos y sus máscaras de red, tan sediento que no se detuvo hasta que su profesor lo agarró por la espalda diciéndole que era suficiente.

–Es injusto.

–Claro que es injusto, pero nos vamos igual.

–Por qué.

–Porque esto no va a parar, aunque él vuelva.

En su habitación encuentra a Irma guardando ropa de todas las estaciones en un par de valijas. En el cuarto de Juana, en la cocina, en el playroom, en cada ambiente de la casa las mucamas guardan ropa, platos y juguetes.

–Yo me quedo –suplica.

Chia sonríe mientras estrangula una chalina para que entre en el bolso de mano junto con las joyas y las cremas.

–Ah, sí... ¿Con quién?

Antes de decirlo, Tino gira la cabeza hacia la ventana: detrás del cartel de venta las persianas están abiertas, y el departamento vacío.

Bruno lo ve cruzar por delante del Mercedes, sin espada y sin máscara, con la misma rabia con la que asesinó a una docena de oponentes (imaginarios, ellos y sus muertes) en uno de los salones del Círculo Militar. Lo ve tocar el timbre una y otra y otra vez, golpeando el tablero con la palma entera, como un demente, hasta que el portero sale del departamento del fondo maldiciendo los gritos. Se detiene al ver a un enano que no llega al metro y medio, vestido de esgrima, con su sombra trajeada detrás. Sabe quiénes son. Abre la puerta y Tino corre escaleras arriba. Bruno lo encuentra sentado en un rincón del tercer piso, con la espalda apoyada contra la pared.

–Vamos –dice–. No está más acá.

Pero Tino no se mueve, tiene los ojos clavados en la puerta como si estuviera viéndolo todo a través de la madera. Bruno mira al portero y asiente. El hombre –que recién llega, tan agitado que tiene que apoyarse contra la pared para recuperar el aire– saca un manojo de llaves.

–Todavía no vinieron a buscar las cosas –dice.

Empuja la puerta con la punta de los dedos.

Sin saber que son los últimos rastros de su padre que va a ver, Tino cruza el umbral de la puerta. Bruno lo acompaña en silencio, preguntándose –al igual qué él– cómo alguien que tuvo tanto pudo vivir con tan poco. Más que poder: por qué *eligió* el encierro de cuatro paredes blancas, relucientes, sin historia, antes que la inmensidad del campo. Con los años, Tino va a convencerse de que fue para estar cerca de su familia (mejor dicho, de él). Hay tres camisas blancas en el placard, un par de zapatos de cuero, libros desparramados alrededor de la cama deshecha, un cenicero repleto de cenizas y un par de manchas de tinta sobre las sábanas blancas. En la mesa de luz está la Mont Blanc que le regalaron para su último cumpleaños. La eligió Sonia, y hasta hizo que le grabaran las iniciales de los tres en el capuchón de plata. Cuando se la dieron, Razzani dijo que iba a llevarla con él a todas partes.

—Lo dejó todo —dice Tino—. Hasta la Mont Blanc.

Bruno quiere abrazarlo, pero le apoya una mano en el hombro.

—Ya va a hacer que se la manden. Tino no pregunta adónde, mira la pila de diarios recortados en un rincón y la tijera a un costado. Es lo único que se llevó: recortes, computadora y teléfono.

—Hoy vienen a limpiar.

Escucha que Bruno le dice al portero por sobre su hombro. Los dos asienten mirando el mango de la tijera. Se despiden de las huellas de Razzani mientras Tino abre el ventanal, sale al balcón y trata de ver su casa por encima del cartel de venta que funciona como un biombo de privacidad. No ve nada hasta que Bruno lo levanta por las axilas, haciendo que su casa aparezca por detrás del cartel. La ventana de su cuarto está abierta: Irma termina de armar las valijas a una distancia en la que no se alcanza a distinguir si lo hace con alegría o tristeza.

—Bajame —dice Tino.

Con un nudo en la garganta: así es como lo vio su padre: un cuerpo sin gestos ni emociones. Cruza el departamento vacío y niega en silencio cuando el portero le pregunta si quiere ver la terraza.

El rey

10

Con la certeza de que ella sabe dónde está, esa noche Tino carga la mochila con el tesoro de billetes de cinco pesos que guardaba debajo de la cama, mete el rey blanco y se viste en la penumbra. Sale del cuarto descalzo, con los mocasines en la mano para que nadie lo oiga avanzar por la oscuridad, hasta llegar al garaje. Agarra la bicicleta y sale por la puerta de servicio, tan asustado de estar ahí afuera como de no volver a ver a su papá nunca más. Pedalea entre calles zigzagueantes, desiertas, seguro de que detrás de la linterna que lo alumbra en la garita de la esquina hay un guardia que ya está alertando a Bruno sobre su huida. *No va a tardar en imaginarse adónde fui,* piensa, mientras en la avenida los autos trasnochados pasan zumbando con las luces altas. Esa noche no lo detiene nadie: ni el conductor borracho que lo esquiva haciendo sonar la bocina toda una cuadra aunque la infracción sea suya, ni los dos chicos que lo corren tres cuadras para robarle la bicicleta hasta que un camión de basura queda en el medio, salvándolo. Llega al edificio de Delia cuando las primeras luces del amanecer arrancan de su casa a los madrugadores. Ahí nomás, al verla avanzar por el pasillo, sabe que su padre no está con ella; se lo confirma la urgencia de los primeros pasos –que se evapora al descubrir que no es Razzani, sino su hijo, el que la busca al amanecer–, junto con la ternura con la que se arrodilla frente a él al ver el desfile de gestos y muecas que le enloquecen la cara tratando de aplacar las lágrimas que hasta ahora no le había mostrado a nadie.

Seis pisos más arriba, Tino agarra la foto de Razzani y mira al extraño que le sonríe desde un país que él no conoce, con una adolescente sentada sobre las piernas. Deja que Delia le saque la foto de la mano y que se acueste a su lado con dos vasos de vino caliente con especias, canela y cáscara de naranja.

–No puedo tomar alcohol, soy chico.

La cercanía lo inhibe, apenas puede mirarla.

–Hoy podés –dice Delia.

Y está a punto de agregar que de la infancia solamente le quedan el cuerpo y la edad. La inocencia la perdió la noche que su papá se despidió de él, y está a punto de dejarla atrás por completo.

–No podés seguir viniendo a verme.

La última vez, Bruno los sentó a los dos en el sillón del living y les explicó que tenían dos caminos: blanquear lo que había pasado y enfrentar las consecuencias o convertir esa noche en un secreto.

–Nos vamos a meter en un problema.

Tino asintió sin entender el término blanquear ni cuáles serían las consecuencias. Acordaron que no conocía a Delia, que nunca más iba a seguirla ni a preguntar por ella.

–No voy a volver nunca más.

Apoya el portarretratos sobre la mesa de luz y lo da vuelta, imitando el gesto que hizo Delia la última vez.

–¿Cómo es mi papá? –pregunta, y deja que ella le acaricie la cabeza.

–¿A mí me preguntás?

Tino asiente.

–Lo conocés más que yo.

Algo en su mirada la incomoda: es la mirada de un hombre.

–¿Te trata bien?

Hasta su voz es otra.

–A veces...

–¿Te habla de mi mamá?

Delia baja la mirada, sorprendida por el golpe. Tino, en cambio, se siente más poderoso que nunca. Quiere lastimarla; algo en la mirada de Razzani en esa foto, en la forma en que sonríe como si estuviera ahí mismo viéndolos pelear por él (por sus mil caras), transforma la sonrisa de la foto en una mueca obscena que lleva a Tino del desconcierto al asco. Delia desliza la mano izquierda de su cabeza al cuello. Si se viera ahora mismo descubriría que el deseo lo hace parecerse a su padre.

–Me voy a vivir a Punta del Este.

–¿Cuándo?

–Pronto.

–¿Y dónde es eso?

–Otro país. Vuelvo en un año.

Delia asiente. Ella debería hacer lo mismo: juntar lo poco que tiene ahorrado, sacarse un pasaje y volver a La Habana.

Se mete en la cama mirando la nuca de Tino, que no puede mirarla a los ojos desde el sueño que lo hizo despertarse pegoteado, enredado en las sábanas, con la voz ronca y el pelo aplastado contra la frente, un sueño en el que todo se mezclaba: la cara de Delia y la de Maia, la suya y la de Razzani.

–Metete adentro de la cama –dice Delia.

Y Tino obedece.

Entorpecido por el vino que le corre por las venas, deja que le saque la taza de entre las manos, que apague la luz, y lo acaricie. Estira el brazo y tira el portarretratos de un manotazo, sin dejar de pensar que él tiene casi la misma edad que tenía ella cuando conoció a Razzani. Apenas unos años menos. Pero ahora es ella la que guía, la que decide cómo y hasta dónde. El desconcierto de Tino es tan inmenso que se debate entre la parálisis y la huida: un instante mira la puerta, calculando cuánto tardaría en salir corriendo, el siguiente abre la boca para dejar que la lengua de Delia lo colonice todo con la procacidad de una adolescente que solamente se siente a salvo en el sexo (que es eso para ella: el lugar más estable y conocido de los últimos años). Delia lo desnuda con urgencia, quiere arrancarse la soledad hasta que pueda decidir qué hacer. Tino, en cambio, no piensa. No es más que un muñeco aplastado contra las sábanas, con las piernas y los brazos abiertos. La víctima de un huracán que lo cabalga sin pedir permiso, sin pensar que hace menos de una década gateaba, ni que esa cama la compró su padre. Todo está enrarecido: la luz que llega de afuera, oscurecida de pronto por una nube de tormenta, el aire cargado de agua, húmedo y espeso, el olor de Delia, tan ácido y dulce ahora que la tiene encima, transpirada, asfixiándolo con el remolino de pelos que lo ciega, tan hipnotizada por su propio bamboleo que ni siquiera escucha el pedido de Tino, que no quiere (aunque quiere) que lo deje (aunque él también se mueve)... La escalada de gemidos lo envuelve en una espiral de excitación y rechazo, acunándolo entre sus piernas hasta que por fin –vencido– lo entrega todo: la infancia y la virginidad.

Treinta segundos es todo lo que aguanta Tino de la jinetera. La deja sentada encima suyo, sonriendo al darse cuenta de que todo terminó antes de empezar y de que acaba de abusar de él con la misma tiernísima violencia con la que su primer cliente la bautizó cinco años atrás.

–Hace dos semanas que no viene ni me manda llamar.

Sopla el humo del cigarrillo y lo mira de reojo, acostada boca arriba con la palma de una mano debajo de la cabeza y las piernas cruzadas a la altura de los tobillos.

–Nunca desapareció tanto tiempo. No importa cuánto trabajo tenga: si está en el país, su límite son cinco días.

Tino apenas la escucha, aturdido por el recuerdo de los jadeos y los gemidos, enredado en las imágenes de lo que acaba de pasar; tan abrumado por haber estado ahí adentro que el único movimiento que puede hacer es estirar el brazo y enredar el dedo índice en la sábana para esconder su desnudez hasta el cuello, con una mano sobre su entrepierna. La mezcla de pánico y adoración con la que la mira arranca a Delia de la cama. Se levanta y camina hasta el baño, desnuda. Hace pis sin cerrar la puerta, sin encender la luz y sin dejar de hablar. Tino trata de no mirar pero no puede: la sobredosis de intimidad lo tiene aferrado a las sábanas como si estuviera volando por el espacio en presencia de vida extraterrestre. Cuando el teléfono suena sabe que es Bruno, aun antes de que ella atienda.

—Está acá —dice Delia, poniéndose el vestido.

Asiente varias veces al hilo, con el ceño fruncido y un gesto de dolor en la mirada, como si estuviera recibiendo golpes en lugar de gritos. Hasta que Tino le saca el teléfono de la mano.

—Ella no tiene la culpa. Te espero acá.

Corta y se viste. Su cuerpo ya no es el mismo.

11

Afuera empieza a levantarse viento. Tino mira sus pies, rodeados de hojas que bailan a centímetros del suelo con la in-
tuición de que el mundo va a ser así de ahora en adelante:
inestable y escurridizo.

–Perdoname lo que te hice –dice Delia.

Tino hace fuerza para mirarla.

–No me molestó... Me gustó.

Delia está a punto de decir que a ella también cuando ve
el Mercedes doblando al final de la cuadra. El estado en el
que Bruno se baja del auto y camina hacia ellos –tan desen-
cajado que no puede ni fingir su calma habitual– les cierra
la garganta: saben que algo pasó, algo grave y definitivo, algo
de lo que no hay vuelta atrás. Al ver el desamparo de Tino,
Bruno tiene ganas de sacar la reglamentaria que lleva en la
cintura para dispararle a todo lo que se mueve a su alrededor. A todos menos a Tino, que todavía no sabe el estado en
el que encontraron el cuerpo de su padre. Lo sube al auto sin
decir una palabra, porque cualquier cosa que intente decir va
a desmoronarlo ahí mismo. Traba las puertas antes de volver hasta donde está Delia, parada debajo de una llovizna
helada mientras espera la noticia que ya intuye.

Tino los mira sin parpadear.

Encerrado en su cápsula de silencio no escucha una sola palabra de lo que dicen, pero la reacción de Delia –que ahora se tapa la cara con las manos mientras Bruno le pone un puñado de billetes en la mano, y ahora trata de caminar hacia él pero deja que Bruno la detenga y la acompañe hasta el palier sin oponer resistencia– le permite adivinarlo todo. De alguna forma lo intuía, en la resignación con la que su padre había acostado al rey entre sus dedos. Intuía que aquel último abrazo había sido una despedida y que alguien –muy arriba– le había bajado el pulgar.

En el regreso a su casa Bruno no dice una palabra. Abre la boca varias veces con el impulso de anticiparle algo, aunque sea una parte, pero la cierra antes de escupir ni un suspiro. Apenas respira: Tino puede ver cómo su perfil pasa de la palidez del desconcierto al azul mortuorio de la resignación, para entregarse siempre al rosa amoratado de la asfixia antes de inspirar una pizca de aire, lo indispensable para seguir vivo. No enciende la radio, no abre las ventanillas, no acelera. Durante unas cuadras Tino mira por la ventanilla con la ilusión de que ese limbo se estire eternamente. Él tampoco pregunta, adivina las respuestas. Sabe, incluso, que algunas son peores de lo que él puede imaginar. A Bruno el miedo de quedar acorralado lo hace esquivar la mirada de Tino en cada semáforo en rojo.

El tumulto de autos empieza a diez cuadras de la casa: la pacífica esterilidad de las calles de Barrio Parque se ve ahora salpicada de curiosos, paparazzis y periodistas. A cinco cuadras, Tino ve a un fotógrafo que camina hacia su casa con la cámara colgada del hombro y una lente del tamaño de una escopeta en la mano; a cuatro, una combi estampada con el logo de un canal de televisión acaba de chocar el Audi de una vecina embarazada; a tres ve a Maia en una esquina, parada sobre los pedales de su bicicleta como una centaura, mirando el auto de Bruno con los ojos clavados en la ventanilla polarizada del asiento trasero. A dos cuadras, Bruno baja la velocidad para no pasarle por encima a los curiosos que cruzan la calle sin pedir permiso. A una, Tino ya no aguanta más: pregunta qué pasó mientras decenas de periodistas se les vienen encima, rodean el auto como hienas, pegan sus caras a las ventanillas, disparan cámaras, flashes y preguntas contra los vidrios polarizados, más desesperados a medida que el portón levadizo de su casa se abre y los policías les impiden el paso a todos, menos a ellos... Tino esconde la cabeza detrás del asiento, cierra los ojos y aguanta el aire como si estuviera cayendo al vacío, con la misma reacción que tuvo la única vez que subió a una montaña rusa, aunque aquella vez gritó y ahora, mientras el portón se cierra a sus espaldas, Tino se da cuenta de que el grito sigue ahí, adentro suyo, mudo.

En el hall de entrada dos mucamas y el jardinero apilan valijas que empiezan a cargar en el Mercedes de Bruno en el momento en que se detiene frente a ellos. Un par de flashes llegan desde las alturas: al levantar la vista, Tino ve que hay fotógrafos trepados en los árboles que rodean la casa.

—Metete adentro —dice Bruno.

Lo cubre con su cuerpo mientras lo lleva hacia el interior.

–Tu mamá te va a explicar.

Las cortinas están corridas en la planta baja y el primer piso. Todos están sentados, inertes como títeres a los que ya no maneja nadie: Paraguay en la cocina, frente a una radio que apaga al instante en que lo ve aparecer; Juana en el piso alfombrado del living, rodeada de Barbies y cajas de embalaje (*Nos vamos mañana porque estamos rodeados,* le hace decir a una barbie negra); Chia frente a su tocador, maquillándose, obligada a empezar una y otra vez con cada lágrima ennegrecida que le deja una marca de rimmel. Tino no le hace preguntas a nadie, no hace falta; sigue de largo hacia su cuarto, agarra los binoculares y asoma la cabeza por debajo de las caninas en posición de combate: la calle es un campo minado de periodistas; el departamento de Razzani, de hombres de traje y policías.

Encerrado en su cuarto, se entera de los detalles por el televisor. (Esta vez nadie se acordó de quitárselo.) La noticia está en todos los canales, anunciada por extraños que hablan a cámara sin ninguna emoción: tenía golpes en el cuerpo; estaba maniatado; rociado con combustible. En un informe especial del noticiero, el papá de Maia se encarga de dibujar en un pizarrón la forma en que la última bala le entró por la nuca y el estado en el que encontraron su cuerpo en un basural, irreconocible. Tino quiere seguir mirando, pero su mano –sola– estrangula el control remoto, asfixia el sonido, desaparece la última imagen de Razzani en el agujero negro de la pantalla.

El ruido viene desde el exterior. Voces, gritos, motores.

Adentro, en cambio, hay silencio.

Tino mira los flecos de la alfombra celeste que le trajeron de Europa («Esmeralda», dijo Razzani, desenvolviéndola): una hormiga termina de escalar el fleco más alto y se queda mirando el horizonte, perdida. Junta el pulgar y el índice y catapulta a la conquistadora estrellándola contra el vidrio de la ventana.

Todo tiene algo de irreal.

Es mentira, piensa, *está escondido.*

Arranca el cable de la pared y empuja la mesita con el televisor afuera del cuarto. Sentado al otro lado del pasillo, en la penumbra del cuarto de Sonia, Bruno bebe otro trago de su petaca mientras acaricia el tablero de ajedrez y las piezas que tiene amontonadas en el bolsillo del saco. Escucha el golpe contra la puerta del cuarto de Tino antes de escuchar el cerrojo abriéndose, y verlo así –entero– empujando un aparato que lo dobla en altura, le da más miedo que cualquier otra reacción. Deja que Tino se le acerque, tan ablandado por el alcohol que podría pedirle que lo abrace sin sentir vergüenza... Podría, pero no lo hace. Saca las piezas y las ordena sobre el tablero.

–Lo traje para vos –dice, con la voz estrangulada.

Tino saca al rey blanco y lo coloca en su lugar.

–¿Y las demás cosas?

Bruno toma un trago más, con tanta torpeza que un par de gotas de whisky caen encima del alfil.

–Las tiene la policía.

Lo seca, frotándolo contra su saco, mientras Tino termina de acomodar las piezas.

–¿Jugamos?

A Bruno, la pregunta lo quiebra: es un golpe en la boca del estómago que lo encuentra con la guardia baja. El llanto sale en forma de lamento, desmesurado y griego como el de esas ancianas que, vestidas de luto, aúllan por el dolor de todos en cada velorio. Así —pero de traje y calzado— lo quiebra; por las decenas de veces que los vio sentados frente a ese tablero, porque él nunca aprendió a mover una pieza y porque así se despidieron: jugando.

—No sé cómo —dice, aunque apenas se le entiende.

Pasan el resto del día encerrados, con las persianas bajadas, sin encender ninguna luz. El velador ilumina el tablero, la mano temerosa con la que Bruno mueve cada pieza y las dos manitos de Tino que, con la mitad del tamaño y el doble de agilidad, hace retroceder caballos, torres y alfiles explicándole cada movimiento con las mismas palabras que usó Razzani para enseñarle a jugar a él. El círculo de luz termina en las fronteras del tablero, pero una vez que sus ojos se acostumbran, Tino puede verlo todo: cómo Bruno se seca la transpiración y las lágrimas con la palma de la mano, el entrecejo fruncido ante cada explicación, haciendo un esfuerzo gigantesco por entender lo que escucha. Tan concentrado, que mueve la reina en diagonal, en su primera jugada de riesgo, sin ver que Tino se lleva la petaca a los labios. La llamarada que siente —en los ojos, la garganta y el estómago— es un alivio, porque por fin siente algo. Cuando Irma pasa por delante de la puerta abierta con Juana dormida en sus brazos, ninguno de los dos la ve, aunque su sombra se dibuja en el tablero.

Hasta que escuchan su voz:

—¿Están bien?

LA FURIA DE LA LANGOSTA

Asienten los dos, mintiendo con la misma falta de convicción.

–La señora dijo que salen mañana a primera hora. Hay demasiada gente ahí afuera.

No responden. Bruno asiente de nuevo, asfixiado por el encierro y el alcohol. Tino la mira sin entender lo que dice, confundido por los tragos de whisky que fue tomando a intervalos cada vez más cortos los últimos quince minutos.

–Yo voy a dormir con Juana, me pidió que vos duermas en el cuarto de Sonia para estar cerca de los chicos por si pasa algo.

Una pausa en la que todos se preguntan qué más puede pasar.

–Mañana va a hablar con vos, Tino, hoy no se sentía bien.

Otra pausa.

–Le di algo para que duerma.

Y otra.

–A Juana también le di un poquito, ahora te traigo a vos.

El silencio de Tino –que ni siquiera arranca la mirada de la reina mientras se encoge de hombros, amenaza con partirla igual que a Bruno; tanto que se obliga a sí misma a seguir de largo.

–Jaque –dice Tino, sitiando al rey con el ataque de la reina.

No hay respuesta.

Al levantar la mirada ve a Bruno dormido sobre el desborde de encajes de la cama de Sonia, con la espalda apoyada contra el respaldo y la cabeza colgando hacia atrás en un bamboleo milimétrico que va rotando la cabeza como un péndulo, hundiéndolo en el sueño. Muy despacio, acunado por el mareo del cansancio y el alcohol, Tino se deja caer por encima del tablero hasta acurrucarse contra Bruno, y alcanza a envolverse en sus brazos antes de cerrar los ojos.

Cuando los abre, Maia lo observa en cuclillas a centímetros de su cara. Mira a su alrededor sin entender dónde está, ni por qué el cuarto y su cabeza dan vueltas... Hasta que ve a Bruno desplomado sobre la cama de su hermana con las piezas de ajedrez y la petaca asomando por debajo.

–Te dije que esperaras abajo –escucha que Irma le dice a Maia, mientras lo levanta en brazos.

Pero nada la hace retroceder: los sigue hacia el cuarto de Tino y empuja la puerta cuando trata de dejarla afuera.

–Puedo hacer que se vaya si querés –dice Irma.

Pero él niega.

–Que se quede –pide, sacudido por el hipo.

Irma no opone resistencia, aunque la forma en que mira a Maia mientras camina hacia la puerta no deja dudas: podría matarla si lo lastima. Maia asiente, y cierra la puerta antes de sentarse frente a Tino en la cama.

–Me escapé. Nadie sabe que estoy acá.

Saca del bolsillo su mejor carta: El Héroe Elemental.

–Para vos.

Los dos saben la cantidad de torneos de Yu-Gi-Oh que ganó gracias a aquel guerrero. Mientras mira al héroe, Tino siente un frío metálico en la punta de los dedos: en el bolsillo del pantalón encuentra la petaca de Bruno. Sin pensar en lo que hace, la abre y toma un trago antes de ofrecerle a Maia.

–Tomá.

Maia mira la botella sin moverse.

–Tomá o te vas.

El primer trago lo escupe, el segundo la hace toser hasta las lágrimas, con el tercero se deja caer al lado de Tino. Después de ahí no cuentan más. Maia, que había ensayado un repertorio de palabras antes de animarse a venir, se olvida de todo: le alcanza con el sinsentido de verlo reírse. Tino, en cambio, escucha su propia risa como si fuera la de otro: un extraño que no siente nada, aunque no puede soltar ni el rey blanco ni el Héroe Elemental por miedo a caerse hacia arriba. Lo único que lo calma es el abrazo de Maia, que por una vez no lo pelea, que por una vez lo sigue dispuesta a ir con él hacia donde quiera.

Esa última noche en Buenos Aires, Tino sueña con Razzani. Sueña que Bruno abre la puerta y que él se acerca en la penumbra. Que se sienta a su lado y le acaricia la cabeza... Hasta que abre los ojos, todavía mareado por el alcohol, abrazado a Maia como si fuera lo único estable en su vida.

–Estás vivo –murmura.

Y recién ahí puede llorar.

Con el tiempo Tino va a seguir recordando aquel sueño, viendo cada detalle de la cara de su padre (el miedo en su mirada y el silencio de un hombre que ya se mueve como un fantasma), sin acordarse jamás de lo que le dijo antes de irse.

12

Irma le apoya un paño frío sobre la frente y mira el termómetro, que marca casi cuarenta grados de temperatura. Sobre
el cubrecama, a su lado, todavía está la marca del cuerpo de
Maia. La vino a buscar el Cazador, le cuenta, tan angustiado
que parecía humano... La buscó hasta en los hospitales antes
de pensar que podía estar con vos. Se puso a llorar ahí en la
puerta cuando la vio. Durmieron abrazados toda la noche.
Tino asiente. (Fue gracias a ella que pudo dormir.) Lo que recién ahora confirma es que la visita de Maia no fue parte del
sueño: ella realmente estuvo ahí, abrazándolo toda la noche.

—Papá también vino. A despedirse.

Irma aprieta el frío metalizado de la petaca sin saber qué
decir. Tino tiene el aliento alcoholizado.

—Lo soñaste.

—Lo vi.

Niega la historia oficial con una certeza que lo va a acompañar durante años. Estira la mano para abrir un pliego de la
cortina con la punta del dedo índice. Afuera un par de hombres de traje caminan por el jardín. Custodios de la misma
empresa en la que trabaja Bruno. *Elementos de apoyo,* los
llamó la primera vez que Tino preguntó para qué venían

cada vez que Razzani hacía una reunión o una fiesta. Ve a uno de pelo engominado que le grita a alguien del otro lado de la ligustrina, y los últimos flashes de un fotógrafo que le apunta a la ventana antes de caerse de la copa de un árbol. Irma cierra la cortina.

–No se movieron en toda la noche. Ya se van a cansar.

Tino mira a su alrededor: no queda un juguete sin embalar. Lo único que queda afuera son las sábanas y lo que tiene puesto.

–Tu mamá quiere irse cuanto antes.

Juana desayuna sentada sobre las piernas de Chia, las dos con anteojos de sol. Petrificado en la puerta del comedor, Tino intuye que el mundo entero enloqueció. Su madre hace todo en cámara lenta: levanta un brazo hacia él, llamándolo, un brazo que tarda un minuto entero en terminar la acción que ordena su cabeza, atontada por una cantidad de fármacos que habría alcanzado para dejar a más de uno inconsciente. Tino deja que lo apriete contra ella y hunde la cara en su cuello, disfrutando de esos contados momentos en los que Chia lo quiere cerca de verdad. Tan cerca que a él también lo sienta encima de ella, aunque el resto de las sillas estén vacías. En la cabeza de Chia late cada vez más fuerte su propio pulso, como si la tuviera metida dentro de un campanario, y recién detrás, a lo lejos, adivina las voces entremezcladas de Tino *(Sacate los anteojos),* de Juana *(Por qué si mamá los usa)* y de Irma *(A tu mamá le molesta la luz),* mientras ella pide silencio *(Shhhhh)* peleando para que el sonido salga por entre sus dientes, moribundo.

–Busquen sus mochilas que nos vamos –dice Irma.

Le arranca a sus hijos de los brazos. Y es casi un alivio alejarse de ella, tan pegajosa es su angustia. Apoyándose en la pared con una mano, Tino camina vacilante, con resaca. Encuentra a Bruno en el garaje, lavando el Mercedes. Tiene la camisa arremangada. Tino pisa un charco de agua fría. Se agacha para agarrar la manguera que se enrosca a los pies de Bruno.

–Andá a cambiarte, que ya se van.

Tino le apunta al parabrisas.

–¿Vos no venís?

Bruno esquiva mirarlo.

–En unos días. Tengo cosas que hacer.

No pudo negarse cuando Chia le pidió que se quedara.

–¿Qué cosas?

Asegurarme de que el muerto es tu *papá,* piensa Bruno, aunque solamente dice:

–Cosas.

Acompañar al hermano menor de Razzani a reconocer el cuerpo a la morgue. Estar cerca mientras hagan los peritajes y la autopsia.

–Quedate tranquilo, en unos días voy para allá.

Bruno se seca la transpiración de la frente.

–¿Y Jésica?

Termina de sacarle brillo al capot, quiere tragarse el desgarro antes de abrir la boca.

–Se queda. Dice que tardó diez años en dejar de extrañar Tailandia. No quiere tardar otros diez en dejar de extrañar a la Argentina.

Lo dice así, como si fuera su amante, más que el país del exilio.

–Pero yo no los voy a dejar.

Tino asiente, con los ojos secos. Y aunque las gotas de agua que rebotan contra el parabrisas le salpican la cara, no parpadea.

Cuando el portón eléctrico se abre a la seis y media de una madrugada de lunes, una jauría de periodistas y fotógrafos salen del interior de sus autos y apuntan las cámaras hacia las ventanas del Mercedes, que se aleja por la calle de Barrio Parque escoltado por otros dos autos. Apretujado contra su mamá, la cadera incrustada contra la manija de la puerta, Paraguay mira a Tino y a Juana, entregado a su destino: no sabe hacia dónde van ni entiende por qué siguen huyendo ahora que por fin terminó todo. La noche anterior fingió estar dormido durante una hora mientras escuchaba el desgarro con el que Irma apretaba la cara contra la almohada. Muerto de celos, se levantó del colchón en el que dormía y se metió en su cama para abrazarla con la misma fuerza con la que Maia abrazaba a Tino en el piso de arriba. Estaba triste porque era como *tenía que* estar, pero en el fondo no podía evitar la alegría de estar a punto de volver a su casa: esa tarde había encontrado a Irma armando un bolso con todo lo que tenían.

–Mañana nos vamos.

Fue lo único que dijo, y a Paraguay no le hizo falta preguntar nada más... hasta que ahí mismo, en la oscuridad del cuarto de servicio, su mundo se tambaleó de nuevo con una promesa.

–Te va a gustar Uruguay.

Trató de convencerse de que había escuchado mal, al menos la primera mitad de la palabra. Pero esa madrugada Irma le pidió que eligiera entre Uruguay (con ella) o Paraguay (sin ella).Y con tal de no perderla de nuevo, acá estaba: mirando la pista de aterrizaje a través de un vidrio polarizado. Porque en este mundo nuevo no hay trámites: al avión se llega en auto y los documentos se muestran al pie de una avioneta en el que no viaja nadie más que ellos.

Pero ni los muros dentro de los que se mueven sin rendir cuentas pueden dejar el mundo afuera: a metros del aeroparque, un canillita les ofrece un diario por la ventana. Bruno cierra el vidrio pero todos alcanzan a leer el titular en tipografía tamaño catástrofe:

RAZZANI, MUERTO

Juana gira para mirar al extraño que sigue de largo entre la fila de autos gritando su apellido. Es la única que no lo sabe.

–Quiero hablar con papá –dice, con un hilo de voz.

Lo pide una y mil veces hasta que Chia le ordena que se calle, que haga silencio aunque sea unos minutos. Que nadie vuelva a hablar de eso hasta que estén en el aire. Ya ni siquiera lo nombra, Razzani se había convertido en *eso*.

La muerte del ciervo rojo

13

En el aire, Chia se saca los anteojos de sol. Sabe que Bruno va a cumplir cada una de sus promesas: no va a separarse de su cuñado ni de sus abogados en los minutos que estén en la morgue reconociéndolo. Es el único en quien confía, y si le rogó que la llame de inmediato es porque sabe que va a ser entonces, al escuchar las tres palabras de Bruno *(Es él, señora),* cuando Razzani va a estar para ella oficialmente muerto. Con los ojos achinados por el rayo de luz que entra por una de las ventanillas y la mirada perdida en el abismo que los sostiene, jura que van a estar bien. Tino asiente, aunque ya no está seguro de nada. Aunque la noticia se había filtrado a los medios oficializándose en el espectáculo antes que en la justicia, nadie (ni la jueza de cargo, ni la policía, ni un vocero del Gobierno) se había atrevido a leer el comunicado que redactaban desde hacía horas, tachando y agregando condicionales, y esperaban a que la familia reconociera al difunto.

Aturdido por el rugido del motor, Tino deja que Juana le apoye la cabeza contra el hombro sin sacársela de encima, y hasta baja unos centímetros para que duerma más cómoda. Atontada por la pastilla que Irma puso debajo de su len-

gua antes de subir al avión, fugarse a la galaxia del sueño es
la única reacción que encuentra su hermana después de la
orden de silencio. Por la ventanilla Tino ve a Bruno a un costado de la pista, inmóvil, sosteniendo el avión con la fuerza
de su mirada. Sacudidos por cada corriente de aire, todos
tienen la vista fija en la cabina del piloto, que ataja el vaivén
de la puerta con la pierna izquierda para aceptar la gaseosa
que una azafata, vestida con el logo de una de las empresas de Razzani, le ofrece con una sonrisa plástica. (No tiene
el hábito de leer los diarios: ignora la tragedia que los envuelve.)

Paraguay mira la escena al borde de la locura: es la primera vez que viaja en avión, la primera vez que ve un piloto con la cabina en automático a sus espaldas, los contro-
les moviéndose como si la máquina hubiera cobrado vida y
ya no necesitara de nadie para abrirse camino en el cielo...
Su vida, los últimos meses, se ha convertido en un sinfín de
primeras veces que lo tiene boquiabierto y agotado, y a esta
altura recuerda su pacífica existencia en las planicies del Pilcomayo como si le hubiera pasado a otro.

Él es el único que no acepta una pastilla de la mano de
Irma, aunque en esa nadita redonda y blanca de medio centímetro esté encerrada la tranquilidad. Mira el plato de ca-
napés que la azafata le ofrece a cada uno antes de servirle a
Chia una copa de champagne. Los hay de todos los colores,
diminutas pelotas negras y rojas que le explotan en la boca
mezcladas con una crema agria sobre una masa crocante.

–Son huevos de pescado –dice Irma–; se llama caviar.

Nada –ni la mueca de asco con la que ataja la mano que
ya manotea un segundo canapé– logra aplacar la certeza

que golpea a Paraguay: cuando la avioneta rodea una bahía azul y comienza el descenso hacia una pista de aterrizaje que corta dos montes verdes al medio, se acerca al oído de su madre para susurrarle que algún día va a ser piloto. Repite el susurro hasta convertirlo en grito para que ella lo escuche por encima del motor.

Sentado en diagonal a ellos, Tino mira la dulzura del beso en la frente que Paraguay recibe de los labios de Irma como una bendición. Él nunca pensó qué iba a ser de grande, lo dio por sentado desde que a los ocho años Razzani lo invitó a la oficina de Puerto Madero para presentarle a la hija de la escultural Marlene, compañera de viajes y testaferro de una cadena de saunas. Tino estaba acostumbrado a sus besos y sus caricias. La conocía desde siempre, y más de una vez la había escuchado decir que Razzani podía firmarle el talón: ella era su obra. Por dentro y por fuera, repetía, por la decena de cirugías estéticas y cursos de capacitación que le había financiado su jefe. Sabrina era una réplica de su madre con veinte años menos y una única diferencia: tenía los ojos grises, del mismo color que Razzani.

–¿Para qué necesito secretaria? –preguntó Tino, cuando por fin los dejaron solos.

Razzani levantó la mirada por encima del marco de unos anteojos de carey. Marlene lo había convencido de traer a Sabrina a trabajar con ellos. Quería que pasaran tiempo a solas, como una familia, aunque fuera en horario de oficina.

–Tenés ocho años, hay que pensar en tu futuro –dijo sin dejar de firmar, con la mano derecha, una pila de cheques en blanco–. Sabrina te va a organizar la vida, los horarios, los compromisos, va a ser tu memoria, tu agenda, tu médico, tu...

Sonrió, pudoroso por una vez en la vida.

–Durante unos años la vas a compartir con tus hermanas, hasta que tengas más responsabilidades.

Ahí estaban, desde aquel instante y para siempre, corporizadas antes de que entendiera el significado de la palabra: las responsabilidades.

Treinta pisos más abajo, mientras el ascensor llegaba a la planta baja del edificio, entendió que algún día él iba a estar ahí, como había estado su abuelo antes que su padre, con secretaria y responsabilidades. Era lo que Razzani hacía mejor: diseñar su futuro y el de todos, con tanta tranquilidad que era imposible imaginar que, un día, algo se le pudiera escapar de las manos.

Veinte minutos después del despegue, la avioneta comienza su descenso rumbo al aeropuerto de Punta del Este. Enmarcada en uno de los rombos del alambrado que separa la playa de la pista de estacionamiento, Sonia la ve aparecer entre la neblina de un día tormentoso, bamboleándose con las ráfagas heladas hasta que por fin –después de cuatro intentos– logra tocar tierra. Ya no sabe si su estado nauseabundo es por su embarazo, por las noticias que esa mañana leyó en todos los diarios o por la intimidad con la que su guardaespaldas apoya una mano sobre la nuca de su marido, susurrándole algo al oído mientras esperan a los recién llegados.

Desde donde está puede verlos del otro lado de una puerta vidriada que se abre con cada pasajero que llega o se va, los dos todavía bronceados por los ecos del verano esteño. Como todo romance, la fascinación de las primeras semanas, lejos de las miradas del círculo, se transformó en un pegoteo que tenía a los residentes estables de la Punta murmurando, y a Sonia olvidada en la casa. La vergüenza de que alguien confirmara que las sospechas eran ciertas la tenía amordazada, dispuesta a ser cómplice antes que quedarse sola. Se odiaba por ser tan cobarde, pero no se animaba a perder a los dos hombres de su vida de un plumazo.

Y lo peor es que la trataban con ternura.

No podrían haber sido más amables y serviciales, dispuestos a todo (hasta al sexo) para que nada cambiara la descomunal alegría del presente. A diferencia de Dino, para quien su fascinación por el rugbier era una pequeña desviación que cualquiera podía permitirse, Rufino vivía el terremoto de emociones en el que el alemán lo había sumergido como un péndulo que oscilaba sin matices entre la euforia y la culpa. Euforia por haber descubierto quién era (nadie lo había hecho temblar así) debajo de los mandatos, creencias y represiones. Y culpa porque su psiquis y su fe eran demasiado rígidas para tolerar semejante golpe de timón, empujándolo a aferrarse a quien había sido. Por terror a no desearla, buscaba a Sonia más que nunca, exacerbando cada sacudida que daba contra su cuerpo hasta los límites de la caricatura. De no haber sido por la muerte de su padre, Sonia habría jugado el papel de hija ejemplar durante décadas, por terror a defraudarlo. Si para todos la muerte de Razzani era mucho más que una muerte (para la sociedad, justi-

cia; para sus enemigos, victoria; para el círculo, un cambio
de paradigma que los arrancaba a todos de la categoría de
intocables), Sonia salió a la calle esa madrugada con la sensación de que ya no tenía nada que perder. Estaba rabiosa,
sí, pero también liviana. Si el mundo ya no era el mismo
sin él, ella también podría elegir otra forma de vivirlo. Recién ahí, de camino al aeropuerto, percibió que Dino y Rufino –además de rimar hasta en el nombre– se habían simbiotizado: tenían el pelo y las barbas largas, en un rebrote
de hippismo que había conseguido que el primero archi-
vara la reglamentaria en un cajón de la mesa de luz y que
el segundo cambiara los anabólicos por los churros que co-
mían juntos al atardecer, sentados en las escalinatas de cemento de una calle lateral de la Punta, mirando la mano
enterrada que asomaba la yema de los dedos por debajo de
la arena, como un gigante aplastado por los más poderosos,
igual que Razzani.

Del verano no queda nada ni nadie. Las persianas de los edificios están bajas, las playas desiertas, las calles pobladas por
un puñado de exiliados de la tercera edad. Tino mira el gigantesco cementerio de edificios por la ventana de la Mitsubishi que Rufino compró días después del desembarco
en Uruguay, preguntándose cómo el invierno puede llegar
antes a Punta del Este que a Buenos Aires.

—No sabés lo lindo que es el exilio; no te conoce nadie.

La voz de su hermana, susurrada al oído sin sacarle el
brazo de encima de los hombros, le hace pensar en la última estocada de Maia:

Mi papá dice que exilio es otra cosa;
lo de ustedes es una fuga.

Eso decía el mensaje de texto que recibió antes de apagar el celular en el aeropuerto, como para que no creyera que algo había cambiado entre ellos después de una noche de tregua. No era el único mensaje: había uno anterior, uno que recibió a las cuatro de la madrugada y que no escuchó porque su madre le ordenó que bajara del auto y subiera a la avioneta. Ahora, mientras saca el celular del bolsillo para encenderlo, ve a una mujer peleando para cerrar un paraguas que flamea invertido por una ráfaga espiralada, con los ojos cerrados para que la arena y la sal no la cieguen.

–Hasta tengo a Fabi cerquita, en Maldonado.

Su hermana sigue hablando mientras le acaricia la cabeza.

–Le hizo bien el encierro, se casó con la hija de un preso.

Fabián es su mejor amigo, un relacionista público preso desde hacía años por atropellar a dos hermanas que iban en una motito alquilada por la ruta interbalnearia. Un año entre rejas había bastado para arrancarlo de un mundo y plantarlo en otro: de la frivolidad al evangelismo con la misma intensidad y la misma entrega.

–Para estar preso es mejor Uruguay, hay más aire fresco...

Tino asiente mientras marca los números de su clave de seguridad, un siete para saltear el mensaje guardado y un dos para escuchar el de la madrugada. Pero apenas entiende: un motor, voces superpuestas, una carcajada grave que es lo único que se recorta del resto, y un zumbido cada vez más agudo que apenas le permite adivinar, por debajo del ruido, la voz de Razzani. Sin respirar, haciendo un esfuerzo para que los latidos de su corazón no tapen la voz, aprieta el teléfono contra su oído y cierra los ojos para entender...

Cinco segundos y el mensaje se termina.

Tino se queda con la mirada clavada en la ruta, tan desierta que da vértigo, mientras a su alrededor suena una sinfonía de Beethoven que Dino acaba de sintonizar para llenar el vacío.

Tarda unos segundos en animarse a escuchar el mensaje otra vez. Su dedo índice tiembla yendo de un número a otro, siguiendo las instrucciones del contestador.

Esta vez entiende tres palabras de Razzani:

–Me estoy yendo.

El resto es ruido, violencia, miedo.

Porque de algo está seguro: mientras habla, su padre está asustado. Lo sabe porque nunca lo había oído hablar así. Mira la pantalla del celular sin darse cuenta de que una lágrima le cae por la mejilla izquierda, ni de que Sonia se la seca con una mano. No abre la boca; ahora es el hombre de la familia y tiene que protegerlas. Guarda el mensaje y busca en el historial de llamadas: la última dice Maia, la anterior (con un signo de interrogación que indica las llamadas perdidas) dice PAPÁ.

14

En la parada veinte de La Brava, oculta detrás de una lomada
de pasto recién cortado, está la casa en la que Tino pasó los
eneros de cada verano de su vida. Las paredes y pisos de piedra de *La Serena,* que almacenan calor hasta en los días de
lluvia, están fríos. Ni las salamandras encendidas en cada
ambiente logran darle un poco de calidez a la casa, que solamente parecía llenarse con las carcajadas de Razzani. Parada al lado de la puerta, abrazada a un mono de peluche
como si lo viera todo por primera vez, Juana mira las decenas de cabezas de animales embalsamados que cuelgan de
las paredes, trofeos de cada uno de los safaris que su padre
hizo durante más de una década por las diferentes regiones
de África. Sabe de memoria cómo derribó a cada una: a la
cebra, al antílope, a los dos leones y al oso negro. Una foto
en la que aparece acuclillado al lado de cada animal caído, su
rifle humeante, el disfraz de cazador manchado de sangre y
de tierra, certifican que peleó por cada cabeza que adorna las
paredes. Entre sus tantas excentricidades, Razzani se había
permitido traer de su último viaje la cabeza embalsamada
de un animal inventado, con hocico de jabalí, orejas de liebre, ojos de lince y dientes de leopardo: el Inazzar salvaje.

Juana nunca se había dado cuenta de que aquel nombre escondía el de su padre, aunque el animal le inspirara terror. Pero la historia que más le fascinaba era la muerte del ciervo rojo, la cabeza más preciada de Razzani, que la había colgado en el escritorio para verla cada día que pasara en *La Serena*. Cazar un ciervo rojo era una proeza de la que hablaban todos los cazadores, pero que únicamente los más expertos conseguían. Los envidiosos decían que Razzani había comprado sesenta hectáreas de tierra en San Martín de los Andes, a un valor altísimo, porque sabía que en esos bosques había ciervos rojos. Tardó cinco años en cazar uno.

Parado al lado de la Mitsubishi, Paraguay mira el riego automático que gira encima de las dos lomadas, ululantes como jorobas de camello, sin poder creer la inmaculada perfección del paisaje. No hay ruidos; solamente las olas estrellándose contra unas piedras y unas gaviotas que sobrevuelan la costa en busca de alimento. Se quita las zapatillas que heredó de Tino para pisar el pasto: no puede creer que no sea falso ni cuando siente la humedad de la tierra en la planta de los pies. Lo acaricia con los ojos cerrados, mientras el riego automático le salpica la cara con la temperatura perfecta. Al abrirlos ve a Tino corriendo hacia la casa, lo ve atravesar los ventanales de la planta baja hasta encerrarse en el último cuarto. Irma también lo ve pasar mientras baja las valijas. Escucha los ladridos rabiosos de los tres rottweilers encerrados en el garaje, tan crispados como los humanos que los rodean. Tres veranos atrás Razzani mandó llamar al entrenador que había domado a los perros del campo y educó a los rottweilers con la misma dedicación que a sus hijos. Quería asegurarse de que pudieran convivir con ellos en el interior de la casa, pero que, al mismo tiempo, una señal de ataque bastara para convertirlos en armas. Irma camina hasta el portón levadizo, acerca su boca a una de las ranuras y llama a cada perro por su nombre hasta conseguir que se callen.

–Tranquilos –susurra–. Va a volver.

Encerrado en su cuarto, Tino esconde el celular debajo de la almohada y apoya la cabeza encima, aunque no se anima a cerrar los ojos ni a dejar de tocarlo con la punta de los dedos. No entiende. A las cuatro de la madrugada, la noticia de la muerte de Razzani estaba en todos los diarios; mientras su padre dejaba el mensaje, un centenar de repartidores entregaban los diarios con la noticia impresa en primera plana. La mañana del día anterior, una plaga de periodistas se había atrincherado en la puerta de su casa, dispuesta a devorárselos para arrancarles una primicia más. Esa tarde, los detalles del estado en el que apareció el cuerpo ya estaban en los noticieros. Imágenes que Tino no debería haber visto y que ya nunca olvidaría.

La voz de Sonia llega desde el cuarto de al lado, una palabra ligada a otra sin pausa, como si cualquier resquicio de silencio pudiera desmoronarla.

–No van a ser distintos acá, si casi todos los chicos son de Buenos Aires, se los trajeron los últimos años por robos, secuestros, por miedo... El papá que me recomendó el colegio fue uno de los que se atrincheró en el techo de su casa con una escopeta cuando dijeron que venían de las villas a tomar los barrios cerrados, ¿te acordás?

Una pausa diminuta, porque la palabra miedo la hace tropezar con lo que sintió la noche anterior al despertarse sola en la cama, las persianas golpeando contra el vidrio por la tormenta y una luz encendida asomándose por debajo de la puerta de Dino, al fondo del pasillo.

–Dice que ahora tienen otra vida, él va y viene de Buenos Aires igual que todos, a las mujeres las dejan acá y mandan a sus hijos a ese colegio, así que ni en eso vas a ser distinta: en la semana son todas mujeres solas, algunas se buscan alguna cosita para hacer, pero casi todas hacen sociales nada más, llevan los chicos al colegio, los buscan, y cuando se empiezan a aburrir llega el verano y vuelve a venir todo el mundo... Vos no tenés que hacer nada, ya está todo arreglado: el mismo lunes empiezan. Es mejor que sea así, de golpe, que no sientan el vacío ni un segundo.

Escuchándola, Tino piensa lo fácil que parece la vida cuando uno la cuenta así, de corrido y sin pausas. Esconde la cabeza debajo de la almohada. Vuelve a escuchar el mensaje.

En medio de la noche abre los ojos con una vibración debajo de la cabeza: una luz fluorescente azulada asoma por entre las sábanas, magnificada por la oscuridad del cuarto. Con las pupilas dilatadas por el terror y el sueño, Tino levanta la vista unos centímetros para encontrarse con el nombre de Maia en el identificador de llamados. No le da tiempo a ser la primera en hablar, más furioso por lo mucho que la extraña que por el miedo a lo que pueda decir.

–Qué querés.

Puede verla escondida debajo de las sábanas, igual que él. Como antes, cuando hablaban una hora antes de dormir.

–Llegaste.

Tino no responde. Tiene un nudo en la garganta por culpa de aquel *antes* del que ya no queda nada.

–En el colegio dicen que no vas a volver.

Y a vos qué te importa, piensa Tino, aunque sigue sin hablar.

–¿Está bueno ir al colegio allá? No se me había ocurrido que se puede vivir en Punta del Este todo el año, recién en la cena le pedí a mi papá tantas veces que me deje ir al colegio allá que me mandó a mi cuarto antes del postre –dice Maia de un tirón, y sigue casi sin respirar–. ¿Sabés que allá es una hora más que acá? ¿No es raro que ya no vivamos ni en el mismo tiempo?

Tino se sienta en la cama: por el ventanal que tiembla por culpa del viento ve a uno de los rottweilers cruzando el jardín que se extiende delante de la casa con su correa de diez metros. Los otros dos perros están echados en la galería, con las cabezas apoyadas sobre los mosaicos fríos.

–¿Qué te pasa, mudito? ¿Te comieron la lengua las ratas?

No le responde. Abre el cajón de la mesa de luz y saca la carta que le regaló. Maia hace silencio. Por unos segundos no hacen más que escucharse respirar.

–Te desperté –insiste–. Dale, decime algo. Por favor.

–Ya me extrañás –dice Tino.

–Un poco.

Del otro lado de la línea Maia escucha su propia respuesta con el mismo desconcierto y –sin pensar en lo que hace– corta. No tolera que la conversación tenga otro tono de golpe, como si los dos se hubieran hecho adultos sin darse cuenta. El golpe de una de las puertas de vidrio del primer piso lo hace olvidarse de ella. Afuera los rottweilers levantan la cabeza al unísono, alertados por algo invisible. Uno se incorpora al instante, al mismo tiempo que los otros dos, en el punto más elevado de la lomada de pasto que se extiende frente a la casa, gruñen con el lomo erizado antes de salir disparados hacia la oscuridad. Tino abre la ventana de su habitación. Escucha los ladridos alejándose mientras las correas de metal se desenrollan hasta tensarse con un tirón que interrumpe los ladridos con gemidos de dolor. Silba, llamándolos como Razzani le enseñó, pero parecen estar detrás de algo –o alguien– que se mueve hacia la costa alejándose de la casa. Espera a que sus ojos se acostumbren a la oscuridad mientras aprieta los dientes para que no tiemblen por culpa del viento helado que llega desde el mar. En medio de las lomadas de pasto ve una sombra que se aleja hacia la costa. Huye de los perros que ladran desquiciados por haber perdido a su presa. Al final de la galería, Dino abre otra de las puertas en calzoncillos y medias tres cuartos, con la nueve milímetros en la mano derecha.

–Metete adentro –ordena.

Tino no se mueve hasta que los perros reaparecen detrás de la lomada. Se acuesta, aturdido por los latidos de su propio corazón. Mira el techo con las pupilas dilatadas por el miedo. Escucha las voces insomnes de su mamá y de Sonia. Hablan en murmullos en el cuarto de al lado.

–Dicen que armó todo para irse solo. Sin mí, sin los chicos. Que lo agarraron justo antes.

–No puede ser. Papá no sería capaz.

–De todo. Tu padre es capaz de todo. Él puede cambiarse el nombre, la cara, el número de documento... ¿Pero con nosotros qué hacía? Aunque él se convierta en otro, nosotros siempre íbamos a ser la carnada. Para hacerla bien tenía que hacer exactamente esto: dejar un cuerpo irreconocible detrás. Y evaporarse.

Chia habla de Razzani en presente. No acepta que en ese mismo momento, en Buenos Aires, su cuñado y Bruno están entrando a la morgue para reconocer el cuerpo de Razzani. Tino se obliga a cerrar los ojos. Cualquier pesadilla va a darle menos miedo que escuchar a su madre.

Seis horas más tarde, Sonia y Rufino llevan a Tino a comprar el nuevo uniforme a Maldonado. Dino va al volante y Sonia en el asiento del acompañante, con la ventanilla abierta para que el aire marino le calme las náuseas. Esa mañana decidió que era tiempo de terminar con la tradición: después de siete generaciones de Valentinos, su hijo iba a llegar al mundo libre del lastre de la genealogía. Fue ahí mismo, montado sobre la fractura del mandato paterno, que el futuro revolucionario pegó la primera patada contra los límites de su reino gelatinoso. Más inquieto que nunca, siguió pateando el resto del trayecto a la ciudad vieja, con tanto ímpetu que Dino detuvo la camioneta en la banquina para apoyar la mano sobre la panza redondeada de Sonia.

Desde el asiento trasero, Tino ve al alemán cantándole una canción de cuna en su lengua materna al bebé, sin poder creer lo que puede hacer la abundancia de amor (que lo tiene saltando de una cama a otra), de tiempo (ahora que el único peligro es no satisfacer a los dos por igual) y de dinero (que se multiplica mes a mes en su cuenta bancaria uruguaya). Si la regla de cualquier mercenario de la seguridad privada es nunca bajar la guardia más que un veinte por ciento, Dino dejó un cinco por ciento alerta –imposible de erradicar, por costumbre más que por disciplina– y le entregó el resto a la lujuria de la buena vida. Sonia mira su hermano por el espejo retrovisor: está ojeroso, apenas entiende lo que pasa a su alrededor. Hace días que lo incomoda todo, hasta su cuerpo. Lo persigue la imagen del Jardín de Paz que recorrió junto a su padre meses antes... ¿Por qué no están preparando el entierro? ¿Por qué hacen de cuenta que la vida sigue?

Parado arriba de la caja registradora, con los brazos alzados igual que él, san Patricio lo mira con sus ojos de cordero degollado, aunque la miniatura de porcelana del santo beatifica a cada niño que entra a comprar su uniforme, mientras que Tino solamente espera con estoicismo que la empleada termine el dobladillo del saco, bordando cada muñeca con una aureola de alfileres.

–¿Por qué vamos a ir a un colegio irlandés?

Es lo único que se anima a preguntar. Su hermana le sonríe con las dos manos apoyadas sobre la panza.

–Es escocés, no irlandés –dice, como si eso lo explicara todo, más liviana que nunca ahora que, rodeada de futuros hijos, hermanos y tragedias, puede pensar en otra cosa que no sea en ella misma.

Aunque no se anime a confesárselo a nadie, Sonia había empezado a soñar la muerte de todos los hombres que la rodean (padre, marido y guardaespaldas) meses atrás. En sus sueños, los hombres aparecían maniatados y eran las mujeres y niños los que la ayudaban a traer a su hijo al mundo. El día que le anunciaron la muerte de Razzani dejó de soñar. Desde entonces, las pocas horas que logra dormir son un limbo negro, sin imágenes ni sonidos.

—Decime la verdad.

—Te lo juro, Tino, es escocés.

—¿Está muerto?

—¿Cómo?

—Papá.

Una señora abre la cortina del probador de al lado para encontrar a Sonia y a Tino mirándose con lágrimas en los ojos. Los reconoce al instante. Hace meses que sigue el derrumbe de los Razzani por televisión. Saca a su hija de siete años del probador, para que no escuche lo que intuye que están a punto de decir. La nena deja que su mamá la arrastre hacia la caja mirando por sobre su hombro. No va a olvidarse de ese diálogo: la primera vez que escuchó a un chico de su edad hablando de la muerte. Sonia tarda unos segundos antes de asentir.

—Si está muerto... ¿Cuándo es el entierro?

—No va a haber entierro. Va a haber autopsia nada más. Bruno y el tío están ahí... Lo van a traer de vuelta.

—¿A quién?

—Al cuerpo —dice Sonia, como si ya no fueran lo mismo.

—¿Cómo de vuelta?

—Mamá pidió que lo cremen.

Tino no sabe qué significa esa palabra, pero no pregunta.

–Y que las traigan –agrega Sonia, la voz tan quebradiza como la de Juana.

Tino pregunta –murmura– qué van a traer.

–Las cenizas. Para que hagamos nuestra ceremonia.

Sale del probador y no se detiene hasta llegar a la calle. Sonia, la empleada y la extraña (que olvidó a su hija en el último punto de giro) lo siguen. Lo encuentran parado en la vereda, descalzo, pálido, descompuesto, con la vista clavada en la iglesia de la plaza, como si hiciera fuerza para creer en algo. Dino lo mira desde donde está, apoyado contra el capot de la Mitsubishi con un Parisiennes colgándole del labio.

–¿Cuándo las traen?

–Callate, Tino. Vení acá.

–¡Decime cuándo traen las cenizas!

No puede bajar la voz, ni cuando ve que Juana lo mira desde la puerta del local, ella también descalza y a medio vestir, tiritando.

–¿Qué cenizas? –pregunta.

15

La respuesta llega esa misma tarde a manos de Arnaldo, el principal estratega a la hora de poner en marcha el repliegue del imperio, que pocas horas después del anuncio de la muerte de Razzani ya mostraba sus primeras fisuras. Tres semanas antes de que la tragedia copara los medios, Rufino había recibido una nota escrita a mano por su suegro y firmada con la urgencia de un hombre que tiene los días contados.

El que queda a cargo de todo es A. G.
Ponete a su cargo y hacé lo que él te diga.

La nota transformaba a Arnaldo, oficialmente, en el asesor de todas las decisiones, el hombre a quien Razzani le cedía las riendas del manejo de sus empresas. Si escribió esa nota fue porque sabía que la lucha feroz por la sucesión ya había empezado y que no iba a librarse entre sus más cercanos, que podrían vivir el resto de sus días con una fortuna remanente que seguiría siendo colosal, sino entre las decenas de testaferros que los rodeaban. Muchos ya aprovechaban el caos que se había apoderado de la cresta visible del imperio: el holding IPANEMA era un conglomerado de empresas de turismo, hotelería, transportes, cadenas de *free shops,* farmacias, casinos, inmobiliarias, buques textiles y emprendimientos edilicios. Aunque representaba apenas el doce por ciento de los bienes de Razzani, su valor emblemático era infinito: habían delineado la estética de la costa argentina y de la uruguaya. Defensor de mantenerse lejos del escándalo, especialista en el lobby con los políticos de turno, Arnaldo se resistió a tomar un rol mediático hasta que la tragedia no le dejó más remedio. Durante una semana habló con todos y cada uno de los medios. Negó ser el asesor de la familia, se presentó siempre como un amigo y consejero incondicional de la viuda y los hijos. Habló, habló y habló sin decir nada. Habló hasta quedarse sin voz, con una amabilidad tan exagerada que rozaba lo siniestro. Si le ordenó a su secretaria que no hiciera distinciones entre los medios chicos y los grandes no fue por consideración: sabía que los formadores de opinión se esconden en los rincones más insospechados. Y fueron tan efectivas sus *performances* (ni con su psicólogo se atrevió a confesar que así era como se veía a sí mismo cuando las cámaras se encendían) que solamente los periodistas más sagaces intuyeron que debajo de la imagen que buscaba construir con infinita paciencia –la imagen de un abogado de convicciones, reforzada por su condición de padre católico de seis hijos– se escondía el encargado de poner las cuentas de Razzani en orden, dividir las arcas, blanquear las empresas que el escándalo había sacado a la luz y volver las otras a la sombra donde siempre habían estado. Como un mago que tiene segundos para salirse con la suya, Arnaldo tenía que hacerlo todo rápido, con elegancia y antes de que nadie percibiera el truco.

Enfundado de pies a cabeza –como siempre– en Yves Saint Laurent, el abogado baja de la Mitsubishi detrás de Bruno, que parece haber envejecido. Traen un cofre de oro blanco con incrustaciones de esmeraldas y zafiros que Razzani compró en Rabat una década atrás; una reliquia de valor incalculable de la que vivía renegando, por la pequeña fortuna que había invertido en ella sin encontrarle ninguna utilidad durante años. Hasta que él mismo fue guardado ahí adentro. Desde la puerta de *La Serena,* Irma los ve bajarse de la camioneta y avanzar hacia ella. No arranca los ojos del cofre. Cuando están a menos de un metro de distancia, una oleada de náusea la hace bajar la cabeza. Ataja las ganas de gritar (es una especialista de la rabia muda) y se aleja hacia la puerta de servicio.

Bruno sube las escaleras hasta el cuarto principal en el que Chia pasa sus días. Tino lo sigue. Lo ve sumergirse en la penumbra del cuarto. Sabe lo que viene a decir, aunque no imagina la cantidad de detalles que va a revelar. El dolor de ver el cuerpo de Razzani desnudo y lavado sobre la mesa en la que se realizó la autopsia. El pedido adicional del juez para que se sacaran muestras de sangre, pelos, músculos, órganos... que serían cotejados con el ADN de sus hijos. El pánico en los ojos del fotógrafo que entró con ellos en la morgue, custodiado desde que sacó las fotos hasta que las terminó de revelar y copiar, para que no aparecieran al día siguiente en un diario. Los resultados del análisis bioquímico que no detectó drogas, fármacos ni alcohol en la sangre, resumiendo en un informe al pie de página:

El difunto no fue embriagado ni drogado.

La tomografía computada con la que se aseguraron la trayectoria del orificio de entrada de la bala en la cabeza. Si es *horizontal es homicidio* y *si es vertical suicidio,* escuchó decir al forense. Lo que costó que uno de los forenses le pusiera la firma al certificado de defunción.

A través de la puerta entreabierta, Tino ve a Bruno parado a un metro de la cama en la que Chia parece dormir.

–¿Entonces? –susurra, la voz ronca por el exceso de calmantes.

–Es él.

–¿Seguro?

–Tenía todas las cicatrices.

–¿Las contaste?

–Nueve.

Chia abre los ojos. Mira una foto en la mesa de luz en la que sonríe al lado de Razzani, veinte años atrás, la madrugada en que salieron de la clínica con Sonia recién nacida en brazos. Unos días después, Razzani se hizo una de las nueve cicatrices martillando una cuna que se había empecinado en construir con sus propias manos. Las restantes ocho las llevaba en el cuerpo por motivos menos románticos.

Reunidos alrededor de la mesa ratona del living, todos miran el cofre sin pronunciar palabra. Tino ve cómo uno de los rottweilers lame los zapatos lustrados de Arnaldo, hasta que Rufino lo saca del living con una orden que el animal obedece a desgano, simulando –al igual que todos– que ahora él es la autoridad en la casa.

–¿Qué hay ahí adentro? –pregunta Juana, con un hilo de voz.

Nadie responde.

Insiste:

–¿Irma, qué hay ahí adentro?

No es la única que no entiende que la humanidad de Razzani se haya convertido en eso, pero al ver la cantidad de papeles que Arnaldo comienza a sacar de su maletín (contratos, escrituras, liquidaciones y cláusulas de un testamento de quince hojas) Irma la levanta en brazos y se la lleva a la cocina.

–Hay un par de cosas que arreglar –dice Arnaldo, después de aclararse la garganta–. Fue todo tan inesperado que no llegó a firmar el testamento, las donaciones, el cambio de acciones a nombre de...

Chia lo frena en seco: pide un día de tregua.

–No tenemos un día: mañana llegan todos.

Todos eran los presidentes y principales accionistas de los holdings que Razzani tenía desperdigados en más de un continente. El aeropuerto de Punta del Este ya había sido alertado sobre la decena de aviones privados que iban a bloquear su pista de aterrizaje en pocas horas.

–Hay ciertas cosas que convendría decidir antes, a solas.

Chia apoya las manos sobre el cofre y lo acaricia lentamente, empezando por las incrustaciones de esmeralda que tiene en la parte superior, hasta llegar a la base. Lo recorre sin apuro, lo levanta unos centímetros como si quisiera medir el peso antes de llevárselo con ella a su cuarto.

–Hasta mañana –dice, ya sin darse vuelta.

–Disculpen pero hay que hablar de estas cosas –sigue Arnaldo, después de escuchar que la puerta de Chia se cierra a sus espaldas–. Hay mucho buitre dando vueltas; cuanto antes se redistribuya todo, más seguro va a ser para ustedes... para todos nosotros.

A punto de agregar que un informe secreto de la DEA involucra a Razzani con el tráfico de drogas y al lavado de dinero en sociedad con el cártel de Cali, Arnaldo se muerde la lengua: tiene a Tino sentado a su izquierda, tan silencioso y aplastado contra el sillón que todos parecen haberlo olvidado hasta ese momento.

–¿No sé si prefieren que alguien más salga?

Sonia apoya una mano sobre la espalda de su hermano.

–Andá a tu cuarto.

Tino niega sin moverse, hasta que Rufino interviene.

–Si quiere escuchar, que escuche.

Un gesto alcanza para que Arnaldo ponga sobre la mesa un maletín del que saca un paquete envuelto con prolijidad en papel madera. Los primeros en reaccionar son los rottweilers: uno de ellos corre hasta la puerta, empujado por la costumbre de que segundos después de las primeras hebras de olor, su dueño cruce la puerta llamándolos. Los otros (sus hijos, una generación más iluminada que la anterior) se abalanzan sobre el paquete para olfatearlo y lamerlo, hasta que logran sacarlos del medio a la fuerza. Sonia lo abre sin romperlo, con una calma que responde al miedo más que a la paciencia. Adentro hay camisas, zapatos, libros, una tijera, una taza de café, un toallón bordado y el tablero de ajedrez que Tino vio en su última visita al departamento. Hay más cosas, intrascendentes en cualquier situación menos en esta: un cepillo de dientes, unos lentes de contacto, una máquina de afeitar... Cosas cargadas de historia que Razzani usó una y mil veces y que ahora nadie se anima a tocar.

–Es todo lo que tenía en el departamento –dice Arnaldo–. Me lo entregó la policía después de los peritajes.

–El tablero es mío –dice Tino.

Y nadie se opone. Arnaldo le sostiene la mirada, mientras, con disimulo, patea uno de los perros que sigue acaramelado contra su pierna, lamiéndole los zapatos por debajo de la mesa.

–Ahora lo importante es actuar. Movernos rápido. Tenemos el tiempo en contra. Hay cinco empresas para declarar en quiebra.

Subrayando su urgencia con frases cada vez más cortas, Arnaldo usa el dedo índice con la precisión de un predicador.

–Vos sos presidente de una. Vos de otra.

Tino y Sonia asienten en silencio (hace años que firman papeles sin hacer preguntas).

–Hay que licuar. Lo que se pueda. Nuestro objetivo es ser veloces, prolijos, efectivos...

Abrumado por la cantidad de instrucciones y la sobreabundancia de gestos de Arnaldo, Tino levanta la mano y espera a que todos lo miren antes de hablar.

–¿Él qué quería?

Al ver el desconcierto que lo rodea, reformula:

–Quería el Jardín de Paz, no las cenizas, quería...

Tantas cosas que había escuchado con pánico, pero que ahora estaba dispuesto a cumplir con tal de que todo no terminara en el polvo, volando mar adentro en una de las playas de la Mansa como Sonia tenía planeado despedirse de Razzani al día siguiente...

–No importa lo que él quisiera. Hay que hacer las cosas rápido. En silencio, bajo perfil. Quedarse acá quietos un par de años.

Un par de *años,* escucha Tino en la florida boca de Arnaldo.

–Esperar a que la gente se olvide.

¿Se olvide de qué? ¿De Razzani o de ellos? ¿Es lo mismo? ¿No es lo mismo aunque su nombre sea el mismo? ¿Y por qué tienen que olvidarse para que ellos puedan volver? Así, tartamudeando un sinfín de interrogantes que no se anima ni a decir en voz alta, Tino escucha la explicación de Arnaldo sobre la infinidad de complicaciones de un testamento reformulado pero no firmado.

–Si alguno de ustedes se animara con su firma... –desliza.

Pero todos niegan con la cabeza mirando el garabato inimitable de Razzani.

–Bueno, al menos leamos.

Arnaldo se pone unos anteojos de marco de carey y agarra el testamento con una mano, como si fuera la partitura de una sinfonía y él su director de orquesta. No llega a leer una línea completa. Irma entra en el living con un anuncio *(Hay fotógrafos)* que escupe mientras cierra las cortinas que los rodean. Tino los mira moverse ya sin entender nada de lo que está pasando.

–¿Qué importa si nos ven? ¿Qué hicimos?

Nadie le responde.

Sonia y Rufino se van hacia adentro, alejándose de los ventanales mientras Arnaldo junta papeles, documentos y acciones. Afuera empiezan a fotografiar los autos, la fachada, las ventanas y hasta los perros que suelta Dino minutos después. Tino no se mueve del sillón en el que quedó sentado, tan inerte como el resto del mobiliario.

–¿Qué hicimos? –repite.

–Nada, pero esta casa irrita y no es momento –responde Arnaldo.

Con su lógica incomprensible, cierra los últimos cortinados sonriéndole a las cámaras.

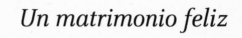

Un matrimonio feliz

16

Minutos después, Bruno le hace un gesto a Dino para que lo siga. No dice nada hasta que salen de la casa y se pierden en el camino de piedras que se adentra entre lomas de pasto recién cortado. Dino apenas puede disimular el buen humor que lo tiene tarareando boleros desde el amanecer. Aunque no hace ni veinticuatro horas que desembarcó en la costa, Bruno ya entiende todos los juegos de alianzas que se tejen en *La Serena*. La noche anterior, en su última ronda por los pasillos oscuros de la casona, vio a Sonia sentada en la penumbra de su cuarto, cerca del ventanal. La puerta estaba apenas entreabierta, pero alcanzó a ver que Rufino no estaba en la cama, aunque ya eran más de las tres de la madrugada. La Mitsubishi tampoco estaba en el garaje, ni el alemán en el cuarto que compartían en la dependencia de servicio. Dino se había deslizado fuera del cuarto en medio de la noche, con una huida tan silenciosa que ni siquiera cambió el ritmo de su respiración.

Aunque su sueño era siempre ligero y algunas noches prefería mantenerse sentado en algún sillón, con los ojos cerrados pero alerta, Bruno no había pegado un ojo en las últimas cuarenta horas. Y la falta de sueño había empezado a irritarlo y a jugar en contra de sus reflejos y su lucidez. Aquel fue el único motivo por el que aceptó tomar el relajante de hierbas que le preparó Irma, sin decirle que en el brebaje había disuelto además un Valium para aquietar la impotencia y la rabia que veía en los ojos del más fiel de los hombres de Razzani.

Cuando los ladridos de los rottweilers lo trajeron de regreso a la vigilia, manoteó la reglamentaria y se sentó en la cama, confundido. Deambuló por la casa, descalzo y armado, hecho un manojo de furia que por fin tenía un objetivo: estuvo despierto el resto de la noche, hasta que vio aparecer la camioneta con las luces apagadas. Avanzaba a paso de hombre para silenciar el motor. La pareja de fugitivos tardó media hora en bajar del auto, aunque Bruno no vio nada de lo que pasó del otro lado de los vidrios polarizados hasta que se bajaron con pasos tambaleantes que el alemán controlaba con más elegancia que Rufino. Uno entró por la puerta de servicio, el otro por la principal. Bruno lo esperaba en la penumbra de la cocina con el arma apoyada en la mesada. Dino supo que estaba ahí antes de verlo, y hasta llevó su mano a la cintura –por reflejo– antes de asegurarse de que era él. No encendió ninguna luz, sacó un cartón de leche de la heladera, se sirvió un vaso y no dijo una palabra hasta terminarlo. Esa noche no alcanzaron a decirse nada. Tino entró en la cocina, sonámbulo, murmurando algo incomprensible. Traía el celular apretado en la mano izquierda. Cuando Bruno logró que se durmiera, Dino se había esfumado. No volvieron a verse a solas hasta después de ahuyentar a los fotógrafos que rodeaban *La Serena*.

–Quiso salir a dar una vuelta –dice el alemán– mi obligación es cuidarlos...

–A ella –lo interrumpe Bruno–. Tu trabajo es cuidarla a ella cada vez que sale de acá. Él se puede matar en la ruta sin que vos hagas nada, ¿está claro?

Dino lo mira de reojo. Sabía que estaban tomando un riesgo al irse juntos en mitad de la noche, pero no era menor que el peligro de cada encuentro furtivo en el garaje desde que *La Serena* se pobló con la prole del Jefe, como le gustaba llamarlos. Rufino todavía maldecía su mala suerte: no alcanzaba con el desgarro de controlar cada día menos lo que le pasaba, y ahora además tenía que disimular. Antes disponían de los cuartos vacíos, alcanzaba con que Sonia se fingiera dormida para que empezaran las mejores horas del día. Ahora había ojos en cada ambiente. Sobre todo los de Bruno, que parecía estar en todas partes al mismo tiempo.

–¿Está claro o no?

Desde lo alto de la lomada, Paraguay se detiene al verlos enfrentados a medio metro de distancia. Está en traje de baño, con una musculosa blanca, la cara embadurnada de protector solar y una toalla colgando sobre los hombros. Percibe que algo está a punto de pasar por la forma en que se miran, dos cowboys que cambiaron el oeste por el este, las botas tejanas por zapatos de cuero, los sombreros por la gomina, las manuales por las automáticas, los caballos por motores de cinco cilindros. Recortados contra el fondo equivocado, Dino aguanta un minuto antes de bajar la mirada.

–Brunito, vos no sos mi jefe. Mi jefe ya no está en condiciones de dar ninguna orden. Se terminó. Lo que nos queda ahora es trabajo de maestras jardineras. Cuidar de estos chiquitos –dice de un tirón, con una sonrisa de vaquero, la voz monocorde, seca, y la mirada de un buitre que por fin encontró alimento para mantenerse vivo hasta el fin de sus días–. Si estoy haciendo mal mi trabajo, que me lo diga la mujer del jefe, aunque en el estado en que está no creo que le importe si hago de mi culo un jardín. Y mucho menos si lo riega su yerno.

Saca un escarbadientes de su bolsillo y se lo lleva a la boca, pero antes de que la madera toque sus labios tiene a Bruno encima suyo, apretándole el cuello con una mano mientras le dobla el otro brazo detrás de la espalda y entierra su cuerpo contra el pasto húmedo. Se miran a los ojos mientras los pulmones del alemán se quedan sin aire. Bruno siente las gotas del riego golpeando contra su frente como proyectiles de hormiga y sonríe, enloquecido por la violencia, mientras sus dedos se hunden milímetro a milímetro en la carne blanda del alemán, que apenas alcanza a forcejear como un roedor en las fauces de una boa. Lo mira a los ojos, disfruta de su agonía con un sadismo que siempre estuvo allí, agazapado debajo de su parquedad. Al borde de la inconsciencia, Dino siente que la presión cede. Al abrir los ojos lo ve alejarse por el camino de piedras de regreso a la casa. Lleva su mano a la cintura para dispararle allí mismo, de espaldas, pero descubre que ya no está armado.

En la dependencia de servicio, Bruno mete la cabeza debajo de un chorro de agua helada y respira con la boca abierta hasta que puede pensar en algo más que golpear a Dino hasta arrancarle la piel. Sin perder tiempo, con las dos armas en la cintura, sube al primer piso y golpea la puerta del cuarto principal. Sabe que va a encontrar a Chia metida en la cama, atontada por los calmantes como siempre, mirando el cofre que le trajo Arnaldo con el mismo estupor que tiene desde que él mismo le anunció que habían encontrado el cuerpo de Razzani. Lo que no espera es encontrar a todos sus hijos acostados en la misma cama, acurrucados unos contra otros en un amasijo de piernas y brazos del que sobresale la panza sietemesina de Sonia.

–¿Qué pasa, Bruno?

Se acerca para que su mirada se acostumbre a la oscuridad.

–Tengo que pedirle algo, señora.

–Lo que quieras.

–Que me autorice a desprendernos de Dino.

Sonia abre los ojos, pero Bruno no va a detenerse, aunque la voz le tiembla y es imposible reconocer en tanta sumisión al que estuvo a punto de asfixiar a un hombre minutos antes. Chia enciende el velador. Sin maquillaje, su cara es la de una mujer diez años mayor.

–¿Por qué tendría que irse? ¿Qué hizo?

–No lo necesitamos más.

Sonia huye de la mirada de Bruno; si lo que busca es permiso, ella no se lo da. Hasta el tiempo es otro: perezoso y lento, cae en abismos de silencio entre una frase y otra.

–No es momento para cambios. Y somos demasiados para vos solo. Sonia necesita que alguien esté dedicado a ella.

–Yo puedo ocuparme de todos.

Las palabras de Bruno son un susurro de fiera rabiosa. Una súplica para que le crean, para que Sonia acepte que el

alemán se vaya ese mismo día, que sea él quien la cuide...
La mira perplejo, quiere entender por qué duda en sacarse
de encima a esa bestia que la tiene en la palma de su mano.
Espera en silencio, avergonzado de estar así, ofreciéndose,
y que ella lo rechace.

    –Quiero que se quede –dice Sonia.

    Y aunque es la nena que salvó décadas atrás la que lo
traiciona sin pestañear, no puede odiarla, ni siquiera puede
desearla un poquito menos. Maldice no haber quebrado el
cuello del alemán. Si no lo hizo no fue por miedo, sino por
especulación: ¿cómo justificar aquel arranque de violencia
sin perderlos a todos?

    Ahora, desautorizado, los perdía de un plumazo.

    –Entonces está decidido: se queda.

    Con una última orden, Chia apaga el velador y se recuesta,
devorada por la oscuridad.

    –Y no te pongas celoso –dice, desde la penumbra–. Siem-
pre vas a ser nuestro preferido.

    Bruno aprieta los maxilares y asiente en silencio. Retro-
cede sintiéndose una mascota que ya no hace reír a nadie.

Con las marcas de los dedos de Bruno en la garganta, Dino
se sube a la camioneta y maneja cincuenta kilómetros por
la ruta interbalnearia con el celular en el asiento del acompañante. Sabe que en ese mismo momento Bruno decide su
futuro en el piso de arriba de *La Serena*. Prefiere no estar
presente para el tiro de gracia. Espera la llamada con la mirada clavada en la ruta hasta que, dos horas más tarde, Rufino le confirma su victoria.

–Te quedás –dice, desde el otro lado de la línea.

Apenas puede disimular su excitación.

–Adiviná quién salió a defenderte...

El alemán no espera al próximo retorno: volantea, dibujando una U perfecta en el asfalto, mientras acelera de regreso a *La Serena* y en el silencio estalla el estribillo de un bolero, cantado con la más volcánica emoción.

–Te propongo una tregua –le dice a Bruno, ya apaciguado, cuando vuelven a encontrarse en el cuarto de servicio–. Entiendo que hubo una confusión: ahora sabés que acá no hay inocentes ni culpables; nadie está forzando a nadie, ni por delante ni por detrás.

Dino se ríe entre dientes, encantado con su sentido del humor, que florece día a día.

–Yo me salvé, Brunito, y bien merecido lo tengo: hace años que la vengo peleando para llegar hasta acá.

Muchos de los guardaespaldas con los que se cruzaba en eventos sociales, actos políticos, en la puerta del colegio, de la universidad, de la peluquería y en tantos otros infinitos tiempos muertos que eran ahora la suma de su vida lo seguían llamando *Gregorio,* acostumbrados al nombre que usaba décadas atrás, en esa otra vida de acción sin esperas. *¿Qué hacés, Gregorio, te retiraste?,* le había preguntado el día anterior un morocho que bajó el vidrio polarizado de una Montero en la puerta del nuevo colegio. El alemán sonrió al ver a otro viejo amigo camuflado detrás de un trabajo decente, viviendo de la seguridad privada como tantos otros. *Me guardé* un *tiempo, mientras no haya nada mejor para hacer.* Se dieron la mano con una sonrisa que hizo piruetas entre los puntos suspensivos, sostenida por los recuerdos de tantos alias en los que la noche en la ciudad era un parque de diversiones. *Ya van a llegar tiempos mejores.* Rodeados de niños, caperucitas con lobos, se prometieron paciencia y el augurio de un futuro mejor, sin importarle que Tino y Juana escucharan cada palabra parados a un metro de distancia.

Cada día cuida menos de las apariencias. Ahora, después del voto de confianza de Sonia, puede mostrarse como la bestia dormida que es. Parte un escarbadientes al medio y se rasca la nuca con una de las mitades.

–Vos sabés que yo no soy un tipo rencoroso; entiendo que viste crecer a estos pibes. Pero si queremos vivir en paz, mejor que nos dividamos el asado.

–¿Qué querés? –pregunta Bruno, odiándose.

–Los chiquitos son tuyos, pero con la piba no te metas más.

Quiere prolongar la humillación de Bruno, que ya ni siquiera puede mirarlo a los ojos.

–Me la entregó el finado en bandeja. Y ella misma te lo dijo: me quiere cerca. Te guste o no, me quiere. Los tres estamos de acuerdo con lo que está pasando... ¿O no te das cuenta? Yo hice de ellos un matrimonio feliz.

17

Ese mismo día Chia decide mudarse a uno de los departamentos de la Punta que Razzani compró a principios de los noventa, en medio del boom inmobiliario que pobló la costa esteña de europeos y americanos. El rumor de que algo estaba a punto de pasar se había ido filtrando entre los medios, y se confirmó cuando las primeras tres avionetas aterrizaron en el aeropuerto de *Laguna del Sauce*.

–Es lo único que les importa: sacar la tajada más grande antes de que se hunda el barco. Van a estar días y días encerrados ahí adentro, repartiéndose el botín. Que hagan lo que quieran. Nosotros no vamos a estar en el medio.

Tino recién empieza a entender la cantidad de cosas de las que era dueño su papá. Mira las piezas de ajedrez que ahora lleva de un lado a otro en los bolsillos. En el último partido que jugaron le había preguntado a qué se dedicaba.

–A muchas cosas –respondió Razzani.

–Pero si tengo que decirlo en el colegio, ¿qué digo?

–Empresario.

Tino movió el alfil, pensando si eso sería suficiente para Maia. Decidió que no.

–¿Empresario de qué?

–Decí que tengo holdings.

Anticipándose a la próxima pregunta, Razzani apoyó la punta del dedo índice sobre el alfil.

–Si esto es una empresa...

Movió la reina hasta el alfil, lo sacó del tablero y lo juntó con otras cinco piezas.

–Esto es un holding.

Siguieron jugando en silencio. Tino miraba los puñados de piezas que se amontonaban a un costado, eliminadas del juego.

–¿Y vos tenés muchos holdings?

Razzani cruzó una sonrisa con Bruno, que asintió por su jefe.

–Entonces sos dueño de todo el tablero.

Riéndose entre dientes, Razzani le comió una torre.

–Eso mejor no lo digas.

Tino siente la mano de su mamá acariciándole la frente.

–Si tuvieras unos añitos más, estaríamos salvados. Tendrías que haber nacido un poco antes... igual no es tu culpa. A tu papá lo mataron los grises. No estaba programado para leer los grises: para él todo era blanco o negro. Y este es un mundo de grises.

Demasiado embebida en químicos para querer tomar las riendas de algo, para Chia es casi un alivio desprenderse del lastre. Tino apenas entiende lo que dice, por lo poco que modula desde que su mesa de luz está abarrotada de frascos.

–Si me sacan una foto más, le arranco la cabeza al fotógrafo...

Ya tiene un plan: van a permanecer adentro de la casa con las cortinas cerradas hasta el anochecer del día siguiente, cuando una final de fútbol les sirva como pantalla de humo para la nueva mudanza. Resignado a estar a la deriva, Tino asiente sin oponer resistencia; sabe que los buitres que ya tienen copada la planta baja la tienen más irritable que los periodistas que montan guardia en la puerta. Nunca va a terminarse la cacería a la que estaba condenado Razzani. Ahora son ellos los que tienen que mantenerse lejos de la mirada de todos, quietos para no irritarlos, en silencio para no decir nada que pueda ser usado en su contra. Invisibles, aunque en el frente de la casa se amontonan los autos importados, los choferes y los guardaespaldas.

Encerrados en el escritorio, los adultos hablan en voz baja del otro lado de una puerta de roble. Un llamado de Arnaldo arregla el asunto en minutos. Les confirma que el Penthouse es suyo; que pueden ir cuando quieran.

–Fausto los va a estar esperando en el último piso... ¿Se acuerdan de Fausto? ¿El que estuvo preso en la cárcel VIP por la estafa esa?

Así es como hablan ahora: en susurros, como si todo lo que dijeran fuera un secreto de Estado. Tino espía por la cerradura, nadie parece acordarse de nada. Desmemoriadas, su madre y su hermana olvidan más y más cosas cada día. Tino, en cambio, se acuerda de todo. Y son los detalles los que van a ir tomando mayor importancia cada día: como las llaves que Razzani le dio a Fausto el día que pasaron a buscarlo por la puerta de la cárcel en la que estuvo preso cinco años.

–Ahora te borrás un tiempo y te vas a descansar a Punta del Este. Por cada departamento que me vendas te quedás con el diez.

Fausto abrazó a Razzani un largo rato antes de encontrar la fuerza para recomponerse. Eran amigos desde la escuela primaria. Razzani no había dejado de visitarlo en los cinco años que estuvo preso. Le consiguió una de las celdas VIP: paredes empapeladas, televisor, acolchado y menú especial.

–Están terminando de armar el showroom de una de las torres de la Punta –le había dicho Razzani aquella vez–. Necesito que alguien me venda los departamentos, alguien que hable un par de idiomas y que sea irresistible; alguien como vos, Fausto...

Le dio una palmada en la mejilla. Recién ahí vio el deterioro de los últimos cinco años. Sacó un par de billetes de cien, lo miró de nuevo, sumó algunos billetes más... Iba a costar acercarlo al que había sido en sus mejores años.

–Pasá por la peluquería, comprate un par de buenos trajes, tomate el Buquebus. Mañana empezás de nuevo.

Lo dejaron en la puerta de un centro comercial. Aunque tenía siete años, Tino nunca olvidó aquella imagen: Fausto, con las manos en los bolsillos y los hombros derrumbados, caminando hacia un centro comercial repleto de extraños. Se detuvo antes de cruzar las puertas corredizas, giró hacia el auto y levantó la mano para saludarlos. Trató de sonreír pero no pudo, estaba demasiado asustado por estar ahí afuera de nuevo. Tino se arrodilló en el asiento para mirarlo por el parabrisas trasero.

–¿Por qué no lo dejamos en su casa? –preguntó.

–No tiene. Ni casa ni mujer. No tiene nada.

Había perdido todo mientras estuvo preso.

–Te tiene a vos –dijo Tino.

Lo vio alejarse a través del vidrio de la luneta, hasta que Fausto no fue más que un puntito diminuto e inmóvil. No volvió a saber nada de aquel hombre hasta que Arnaldo se lo mencionó a su madre, entregándole una llave idéntica a la que años atrás le había salvado la vida a Fausto.

–No tienen que llevar nada: el showroom fue creado para ser el hogar más cálido que uno pueda imaginar. Pueden usarlo un par de meses, hasta que lo desarmen para alguna torre nueva.

Espiando por la cerradura, Tino ve que las mujeres de su familia asienten como fieles devotas en busca de la Meca. Eso es exactamente lo que necesitan: un hogar. Al menos el espejismo de un hogar.

Esa noche la ansiedad los acuna, susurrándoles todo lo que todavía puede pasar. Para dejar de oírla, Tino escucha el mensaje de Razzani (que ya conoce de memoria) con la mirada clavada en los tres autos que permanecen estacionados en la banquina de la ruta, justo enfrente de la casa: guardias periodísticas que buscan rapiñar una imagen. El trayecto entre la Mitsubishi y la casa que recorren Irma y Dino repletos de bolsas del supermercado es fotografiado a cada paso. Y aunque el día siguiente amanece soleado y húmedo, Chia no permite que sus hijos salgan de la casa. No va a regalarles a los buitres que los rodean una sola imagen más de su familia. A Tino y a Juana no les queda más remedio que turnarse para mirar a Paraguay por los binoculares. Lo ven correr hasta agotarse por la playa desierta que se extiende frente a la casa, meter los pies en el agua helada del océano y torear las olas hasta que, por fin, se anima con el primer chapuzón de su vida. Sus alaridos de felicidad se escuchan desde la casa mientras se hunde y emerge entre las olas.

En la cocina, Bruno enciende el televisor y sube el volumen para escuchar el precalentamiento de los jugadores. La platea desborda de hinchas, banderas y cantos. Antes de que empiece el primer tiempo no queda nadie montando guardia en la puerta. Bruno y Dino cargan los mismos bolsos que bajaron cinco días atrás en el baúl de la Mitsubishi estacionada en el garaje. Esperan sentados en el interior de la camioneta con la radio encendida. *Esto no es normal,* piensa Tino. Irma le acaricia la frente mientras mira las Barbies que Juana se encargó de rapar y embarrar la noche anterior, envalentonada por el argumento de su hermano: los fugitivos escapan así para luchar por sus vidas. Bruno es el único que monta guardia cerca de la ventana de la Mitsubishi. Todavía hay dos autos estacionados en la vereda de enfrente. En el minuto veinte, mientras un grito de gol retumba en la oscuridad del garaje, Dino enciende el motor y espera a que Bruno abra el portón, después de que el último auto huya hacia el bar más cercano a ver el partido. Salen a la ruta interbalnearia cuando el primer gol de Argentina termina de arrancar de la calle a los pocos que ya no están instalados frente a un televisor. Acostumbrado a los festejos de Buenos Aires que hacen retumbar la ciudad con bocinazos y alaridos de euforia, Tino mira las ventanas oscuras, las persianas cerradas y las calles desiertas... Y recién ahí entiende que están viviendo en una ciudad fantasma, a la que ni la victoria de una final de fútbol puede darle una pizca de vida.

–¿Ven esa luz?

Imposible no verla: es la única persiana que está abierta en todo el edificio. Chia señala una torre de hormigón con los balcones curvados de acrílico turquesa.

–Nuestra nueva casa.

Dino da vuelta a la manzana mientras el locutor relata el partido sobre los cánticos de la multitud. En la planta baja, dos estatuas de diosas griegas de mármol coronan una fuente de estilo árabe. El resultado es una mezcla empalagosa. Una repartidora en patines da vueltas frente al hall de entrada con una pizza que se le enfría en la mano y un globo rosado inflándose sobre sus labios. Tino la mira mientras la Mitsubishi se hunde en el garaje del edificio, deslizándose por una rampa sin estrenar. La chica le sonríe, tan liviana con su uniforme rosa y las hileras de ruedas debajo de sus pies que podría levantar el vuelo ahí mismo con un último giro. El subsuelo del edificio es hermético y penumbroso, apenas iluminado por unas luces halógenas que lo tiñen todo de un azul mortecino. Bruno ayuda a las mujeres a bajar sus bolsos de mano y deja que se alejen solas, sin apurar a Tino, el único que no tiene ningún apuro por bajarse de la camioneta. Espera sentado solo, en la última fila de asientos, con el celular en la mano.

–Llegamos –dice Bruno.

No consigue hacerlo reaccionar. Es demasiado chico para entender que las noticias publicadas en los diarios pueden no ser ciertas. La voz de su papá es real y Razzani le enseñó años atrás que los humanos se equivocan, pero las máquinas no: la llamada había salido de su teléfono y su teléfono era una máquina. En este merodeo mental (más fe que razón a esta altura) sigue enredándose Tino mientras Bruno se abre paso hacia la última fila de asientos, plegándose por entre la primera y la segunda hilera para llegar al centro de su mundo, que llora sin hacer ruido con la vista clavada en la pantalla del celular. Tan confundido que apenas puede articular palabra, Tino mira la mano de Bruno sobre la suya, el dedo índice acariciándole la palma en un gesto de ternura microscópica que en el parco mundo de su guardaespaldas es más que escalar el Everest. Sabe que es el único con quien puede compartir su secreto. Disca su clave y le entrega el teléfono. Bruno obedece; pero él tampoco entiende nada la primera vez. Ni cuando Tino le muestra el identificador de llamadas para que vea que el mensaje salió del celular de Razzani.

–No está muerto. Se está yendo a alguna parte.

Más aterrado por la esperanza que ve en los ojos de Tino que por la posibilidad de que sea cierto, Bruno vuelve a escuchar el mensaje. Podría mentirle, pero lo poco que sabe de psicología infantil (*Verdad cruel mejor que tierna mentira,* le susurró Jésica en un español precario la primera vez que uno de sus retos hizo llorar a Tino) le hace desprender el primer botón de su camisa. Respirar hondo antes de abrir la boca.

–No es tu papá. Otra persona debe haber encontrado el celular.

Tose un par de veces, maldice tener que ser él quien se lo diga, cuando Tino pregunta adónde.

–Por ahí.

Quiere decir basural, pero no puede. Ni cuando Tino le pregunta por qué lo llamó un desconocido.

–No te llamó. Sos... eras el primero en su agenda.

Lo está golpeando: hablarle así es pegarle con un puño.

–Alguien apretó acá y el teléfono se discó solo.

Lo mira de reojo: Tino niega, mudo, sin mover la cabeza. Se odia a sí mismo más que aquella vez que un par de copas de más le hicieron ver en el aleteo de pestañas de Jésica una insinuación hacia todo hombre que pasara por delante, haciendo que...

–¿Y lo que dice? –lo interrumpe Tino, rabioso.

Bruno sacude la cabeza para concentrarse.

–Dice «me estoy yendo».

–No. Dice «voy y lo vendo». Encontraron el teléfono y lo vendieron. Por unos pesos.

Tino no le cree; vuelve a escuchar el mensaje y aun así no le cree; lo escucha una vez más y sigue sin creerle; porque no, porque no puede ser, porque si le cree, si Bruno tiene razón... Pasa por encima de las hileras de asientos, gira sin abrir la boca, habla aunque nadie lo escuche, le jura a la nada que todo el mundo miente porque su papá está ahí afuera, en alguna parte, vivo.

El frío, el silencio, hasta la luz y el sonido de sus tacos retumban contra las paredes de cemento... Chia apura su paso seguida de cerca por sus hijas, sin darse cuenta de que dejó a uno abandonado en el auto. El ascensor tarda un minuto en bajar del penthouse al subsuelo. Juana no saca el dedo del botón rojo que va a llevarlas de vuelta hacia arriba, hasta que las puertas se abren. Del otro lado, la repartidora se arranca un pedazo de chicle del labio y de la punta de la nariz. Sonríe al ver tres versiones de una misma mujer (niña, embarazada y viuda).

–¿Viven acá?

Chia no le responde, tan golpeada por la vida que hasta una repartidora de Mister Pizza en patines le inspira desconfianza. Juana, en cambio, sonríe y dice que sí.

–Por un tiempo.

La presión de la mano de Sonia en su nuca le cierra la boca.

–Son argentinas.

La repartidora termina de arrancarse un pedacito de chicle del mentón, mientras la puerta del ascensor se abre en el hall de entrada.

–Son los únicos. Ustedes y el jubilado argentino del dieciocho «D».

Se baja deslizándose hacia la puerta, y esquiva al portero, que le abre un segundo antes de que se estrelle contra el vidrio, con una precisión que parecen haber ensayando desde siempre. Veinticinco pisos más arriba, las puertas se abren en el penthouse del edificio. Otro pasillo oscuro, recién alfombrado, con ventanales de acrílico turquesa que dan a la bahía.

–Encendé una luz –dice Sonia.

Juana manotea un interruptor fosforescente. Nunca habían estado en el edificio, aunque la mitad de los departamentos fueran de Razzani. Ninguna se atreve a cruzar el umbral de la puerta del penthouse: la perfección es casi intolerable. Cada ambiente parece copiado de una revista de decoración. El sueño americano transportado a la costa esteña: pisos de cedro lustrado, muebles laqueados, colores pastel, macetas con orquídeas africanas, cuadros de pintores argentinos de tercera línea con marcos más caros que el valor de la obra, música de harpas, fotos de una familia con niños rubios que corren en un bosque de eucaliptos... Cada detalle promete la llegada a un paraíso en el que todo puede ser olvidado.

Del otro lado de un sillón que entra a medida en una curva del ventanal, suspendido sobre la bahía como un mascarón de proa, Juana encuentra a Fausto roncando con la boca entreabierta. Tiene la cara bañada por el sol invernal. Vestido con un traje azul, una corbata de rombos color salmón y el pelo teñido de un negro azabache, Fausto parece haberse simbiotizado con la narcótica promesa de felicidad que se respira ahí adentro. Nunca volvió a Buenos Aires, hace cuatro años que vive mudándose de un showroom al siguiente, incluyéndose en cada mudanza como parte del mobiliario. Y es tan grande su sopor que tarda en despertarse, aun cuando siente que tres pares de ojos lo están estudiando. Al abrir los ojos ve sus reflejos en el ventanal antes que los cuerpos de carne y hueso. Sonríe hipnotizado por esas presencias angeladas que parecen estar suspendidas sobre la bahía.

–¿Estás bien, Fausto?

La voz de Chia lo hace saltar del sillón con un desfile de manotazos que intentan alisar traje, cejas y pelo mientras gira para saludarlas. Se deshace en disculpas, sin atreverse a decir que así es como lo han encontrado la mayoría de los posibles compradores: roncando en aquel sillón que ya tiene la forma de su cuerpo. Es lo que piensa hacer el resto de su vida: dormir y olvidar. (En cualquier orden.)

–Bienvenidas –dice.

Y alcanza a sonreír antes de ponerse a llorar.

–Perdonen que me ponga así –dice entre frases inconexas, atragantándose con sus lágrimas– es que yo soy razzanista de la primera época, y no puedo, no sé cómo...

Se derrumba frente a Juana, que lo abraza con la entereza de una mujer adulta.

–Yo me hubiera dejado matar por tu viejo. A mí nadie me engaña: yo sé que era un genio. Algunos dirán que era un genio del mal, pero era uno de los talentos de nuestro país, un mito, y los mitos provocan amores y odios. Yo sé lo que digo: en unos años mi amigo, tu marido, tu padre, va a ser un mito.

18

Encerrado en el ascensor de paredes vidriadas que sube al cielo de cara a la bahía, Tino cierra los ojos: el aroma amargo y dulce de los habanos que Razzani fumaba cada día lo hace viajar directo a los brazos de su padre.

–Son quemas en el Delta... Buenos Aires y los alrededores están cubiertos de humo –dice Fausto, hablando de aquel otro humo que avanza por las calles, se extiende sobre el mar y se hace más espeso en el horizonte–. En el día de hoy va a llegar hasta acá. Suspendieron las clases. Están diciéndole a los padres que los chicos no se agiten demasiado, por lo viciado que está el aire.

Tino escucha las frases telegráficas de Fausto sin intervenir, anestesiado. Vio imágenes en un televisor de *La Serena:* calles cubiertas de humo, ceniza, gente con barbijos, accidentes en las rutas, caminos cortados. Y él, mientras el mundo enloquece, guardado en una maqueta recubierta de calidad: mesadas de cartón cubiertas de mármol de Carrara, marcos de plástico cubiertos de cedro inglés, pisos de cemento alisado cubiertos con láminas de pinotea. Una maqueta de tamaño real en la que sus hermanas, paradas en un living con una luz tan exagerada y brillante que parece un escenario más que un hogar, apenas se animan a moverse. Una maqueta en la que el confort es pura apariencia: no hay agua corriente, los colchones son de telgopor, las paredes huecas y los cajones no tienen fondo, aunque los pisos brillen y los muebles estén repartidos en el espacio con gélida elegancia. Para ahorrar costos, y comprobado que la mirada de los compradores es más veloz y menos detallista en el ala de servicio, la maqueta alcanza ahí una cima de fragilidad: la cama se vence con el peso de Irma, y Paraguay se queda con una puerta del armario en la mano la primera vez que la abre. Aun así, nada parece opacar el espejismo: cada cinco minutos dos vaporizadores automáticos liberan una brisa con aroma a eucaliptos.

–La brisa del olvido –dice Fausto, al ver que Juana olfatea el aire, empalagada–. Yo creo que le disuelven algún ansiolítico, como en los casinos. La gente entra y se relaja, no se quieren ir más...

Durante una década había sido gerente de uno de los casinos que Razzani puso a su nombre en un acto de confianza que fue la pieza clave de la fiscalía para encerrar a Fausto durante siete años. Conocía de memoria los trucos que usaban en el mundo de la timba para retener a los clientes: bloquear las ventanas para que no vieran el paso del tiempo, perpetuar con las luces la sensación de estar en la cima del día, repartir tragos para envalentonarlos, saques de oxígeno cuando se adormilaban, vaporizadores con opiáceos de última generación... El resto lo hacía la adrenalina del juego. Desde su exilio uruguayo, Fausto le había propuesto a Razzani transportar sus trucos al showroom.

–Hacé lo que quieras, pero más vale que tus experimentos se reflejen en los costos.

Era la naturaleza de Razzani: no sabía cómo hacer para que la palmada en la espalda no viniera acompañada de una amenaza. Sin temor al fracaso, Fausto se entregó de lleno a la sala del olvido: disfrazado de ganador con su traje nuevo, su pelo teñido y su piel bronceada, se escudó en un personaje que vendió decenas de departamentos con la misma plástica simpatía que ahora lleva a Tino y sus hermanas de un ambiente a otro, cantándoles promesas de sanación con su oratoria inflamada de optimismo. Caminando en la cornisa del sinsentido, Tino espera con la paciencia de un arquero zen hasta que se quedan solos en la que va a ser su habitación. Recién ahí pregunta lo único que le importa:

–¿Quién fuma habanos en el edificio?

Fausto apenas lo mira a los ojos, por temor a derrumbarse.

–Nadie. Hasta diciembre no entregamos los departamentos.

A la hora de la cena la verborragia de Fausto alcanza su esplendor, inflamada por el whisky que toma a intervalos cada vez más cortos durante el día.

–Él exigía todo: dedicación absoluta. Si un empleado le fallaba, pasaba por caja. Directo. Pasaba por caja y se iba a su casa. Despedía a gente sin que le temblara el pulso.

Sobreexcitado por la compañía, Fausto habla sin pausas.

–Hay una anécdota famosa de su papá: una vez hizo una inspección sorpresa en una de sus fábricas y encontró fallas en un par de máquinas. *Si en una semana no están arregladas los echo a todos,* dijo. Y se fue. Le dijeron que sí, pero no le hicieron caso. A la semana volvió a la fábrica, verificó que las máquinas no estaban arregladas y los echó a todos. Del último maquinista a los gerentes y secretarias. A todos. Tuvo que reponer el personal completo de la fábrica.

Fausto larga una carcajada que hace saltar a Tino de su asiento.

–Pero el rumor de lo que había hecho corrió como pólvora encendida y nunca nadie más dejó de creer lo que decía.

Termina su historia con la copa en alto, brinda con el aire.

–Mi amigo tenía una sola filosofía: *dis-ci-pli-na*. Las cosas solamente funcionan con disciplina. Los rencorosos decían que lo de él era un régimen nazi. Pero él repetía lo mismo: no había nadie más democrático que él: con él perdían y ganaban los de arriba y los de abajo.

Cuando Sonia le pregunta si conoce al jubilado argentino que vive en el dieciocho «D», Fausto se atraganta con un puñado de arvejas.

–No hay nadie en el edificio –repite, como si fuera una máquina.

–La repartidora de pizza dijo que...

Sonia no termina la frase, y Tino, al levantar la mirada del plato, alcanza a ver una serie de cruces de miradas entre los adultos.

El silencio alcanza para que se mantenga despierto hasta la madrugada, cuando por fin los susurros se aquietan y las respiraciones de los adultos se confunden unas con otras, salpicadas con algún ronquido y alguna apnea ocasional que lo obligan a detenerse una y otra vez en la penumbra inmaculada del showroom antes de llegar a la puerta de entrada. De ahí en más nada lo detiene: ni la oscuridad del pasillo ni el encierro en el ascensor con los ventanales azotados por las ráfagas de viento que llegan desde el mar.

Cuando las puertas se abren en el piso dieciocho, Tino corre los metros que lo separan de la letra D y aprieta los puños para no ceder ante la tentación de golpear la puerta. Sabe que son las reglas del juego, y no va a hacer nada que lo haga correr el riesgo de perderlo de nuevo. Se arrodilla y saca un papel doblado en dos que trae guardado en el bolsillo. La pasa por debajo de la puerta y espera unos minutos sin moverse, sin respirar siquiera. Nadie se mueve del otro lado. El suelo, las paredes, el interior de los departamentos, todo está a medio terminar, sin luz, con vigas a la vista, cubierto de polvo y restos de la obra. Cuando la oscuridad, el silencio y el miedo le impiden mirar por sobre su hombro, se despega de la puerta, corre al ascensor, pelea contra los monstruos imaginarios que lo atacan y aguanta la respiración hasta que, de regreso en la que va a ser su cama desde esa noche, sonríe y cierra los ojos con la certeza de que unos pisos más abajo, en ese mismísimo instante, su padre encuentra la nota y lee su promesa de silencio:

Sé que sos vos.
Puedo guardar el secreto.

Cuando abre los ojos, Irma está vistiéndolo con un uniforme nuevo. Por sobre su espalda ve la foto de unos mellizos rubios trepados a un eucalipto. Mira las repisas repletas de juguetes que no son suyos, sin recordar dónde está. No reconoce a Irma ni a su propio cuerpo, acepta que lo vista con absoluta docilidad.

–Te va a hacer bien hacerte amigos nuevos. De a poquito vas a tener ganas de jugar otra vez. Ya vas a ver, mi vida. Por ahora tenés que hacerlo aunque no quieras. Como si fuera un remedio. Si no te vas a quedar acá tiradito sin ganas ni de respirar...

Deja que le lave la cara, que lo peine y que le hable con toda la dulzura aterciopelada de su voz.

–Paso a paso. Bruno te va a llevar y te va a esperar a la salida.

Incómodo con la perfección publicitaria de cada ambiente, Bruno apenas apoya su taza sobre la mesada de mármol, y ni siquiera se sienta sobre la banqueta de cuero blanco que todavía brilla por la falta de uso.

–No se va a despegar de vos ni de tu hermana, y cuando vuelvan yo voy a estar acá esperándolos.

Tino la escucha en silencio, no se anima a preguntarle si ella también intuye que Razzani está más cerca de lo que todos creen. Sabe que lo espera; lo sabe por la forma en que Irma corre a atender su celular cada vez que suena y por la desilusión que ve en sus ojos cuando escucha una voz que no es la de su padre del otro lado de la línea. Antes de partir hacia su primer día de colegio, le susurra al oído:

–Llevame con vos.

Irma no entiende, pregunta adónde.

–Cuando te mande llamar para que te vayas con él... Yo quiero ir con vos. Nunca voy a decir nada, te lo juro.

Escupe las palabras. La urgencia que ve en sus ojos la asusta. Tanto que apenas alcanza a balbucear frases incompletas:

–No creo que... Él no me va... Cómo podría...

Recién ahí, Irma lo entiende: Tino es el único que resiste, que se niega a creer que se terminó. ¿Cómo exigirle otra cosa si tantas veces Razzani asomó la cabeza después de meses de silencio? ¿Por qué esta vez iba a ser distinto? Después de todo, no habían visto el cuerpo, ni tampoco le habían contado, con la brutalidad que ella le exigió a Bruno para aceptar que era verdad lo que él vio adentro de la morgue... ¿Cómo pedirle que deje de esperarlo?, ¿que no crea que los sigue de casa en casa?, ¿que el que vive en el otro piso no es él, aunque fume el mismo habano?, ¿que no es él, aunque en los medios se sospeche que todo fue una puesta en escena para hacerle más fácil la huida? ¿Cómo pedirle inocencia si lo último que escuchó de su padre fue el terror en su voz?

–Él siempre te manda a llamar –repite el chico.

Irma asiente con un nudo en la garganta, no se anima a confesarle que se duerme cada noche con esa frase *(Vaya adonde vaya, Irma viene conmigo)* repetida como un mantra. Bajan en el ascensor hacia el subsuelo, Tino con la misma sensación de irrealidad en la que se mueve desde hace días; como si todo le estuviera pasando a un extraño que apenas conoce, un extraño anestesiado a quien nada le produce la más mínima emoción.

El baile de los yawaris

19

Esa mañana la profesora anuncia que va a incorporarse una alumna nueva, recién llegada de Buenos Aires. Su familia se mudó a Punta del Este como tantos otros de ellos. Hace cambiar a uno de los mellizos suecos a un pupitre de la última fila para que la nueva –como ya la habían bautizado hasta que el próximo le arrancara el título– ocupe un lugar al lado de una francesita, hija de diplomáticos. La profesora es la única informada sobre el estado en el que había llegado la nueva de la capital argentina. Como a todos los que elegían el exilio uruguayo, el colegio les había prometido calma y protección. En las pausas entre una palabra y la siguiente, observa a sus alumnos: sabe que sus vidas son digitadas con milimétrica precisión en cada elección de sus familias. No ve entre los presentes a ningún valiente capaz de escaparle al destino prefigurado para ellos. La cabeza de la directora en la ventanilla de la puerta pone fin a su merodeo mental: apoya una tiza en el marco del pizarrón y enfrenta a la clase.

–Le damos la bienvenida a María Antonia Urruti –dice.

El nombre completo de Maia resuena con claridad en las paredes blancas del aula. Con la respiración atragantada, Tino levanta la mirada de su cuaderno para verla entrar unos pasos detrás de la directora. Hace cinco meses que su corazón late al ritmo de la abulia. Desde el día en que Fausto se animó a confesar, con la nota que le había dejado a su padre, que él era el jubilado argentino que vivía en el dieciocho «D» y fumaba habanos Cohiba, Tino se entregó sin esperanzas a la existencia de un autómata que se mueve por la vida sin una meta. Ahora camina por los pasillos del colegio como un fantasma al que, de a poco, todos dejaron de prestarle atención.

Su primera reacción –hundirse en el asiento para desaparecer detrás de la cabeza de Toddy, un gordito de Connecticut– es vencida por la curiosidad de verla de nuevo, después de cinco meses.

–Maia –la escucha decir con una voz que parece la de una mujer adulta–. Nadie me dice María Antonia.

Se mueve como animal hambriento listo para atacar: los estudia a todos con una violencia agazapada. Antes de que nadie se atreva a darle instrucciones, pregunta adónde puede sentarse. La profesora le indica el pupitre vacío al lado de la francesita, ya destronada de su liderazgo por el magnetismo con el que la recién llegada encandiló a cada uno de los presentes. Sin ningún esfuerzo por caerles bien, avanza entre ellos como Mahoma frente a sus fieles. Tino siempre se había preguntado cómo lo hacía: cuanto más los maltrataba a todos, más la querían.

Y, sin embargo, está distinta.

Tino sabe que algo pasó desde que la ve cruzar el umbral de la puerta. Algo pulverizó la feliz existencia con la que Maia se movía por el mundo. Ahora hay otro peso sobre sus hombros: tiene ojeras violetas y las pupilas dilatadas por algo demasiado atroz para ser olvidado, ni siquiera durante los instantes en que enamora a sus nuevos compañeros. Si antes había liviandad en cada uno de sus movimientos, una ligereza que hacía pensar en los saltos de una bailarina sobre un escenario, ahora parecía arrancada de la danza y llevada a la selva, lista para huir ante la menor amenaza. No ve a Tino hasta que llega al pupitre vacío al lado de la francesita, que saca de inmediato su cartuchera importada de una superficie que ya es indiscutiblemente de Maia. Ella no agradece el gesto: despliega lo que lleva en la mochila sin apuro. Al levantar la mirada ve los ojos azorados de su más entrañable enemigo asomándose por detrás de un gordito de rulos que mastica su chicle con la boca abierta. Verlo es suficiente para que Maia pierda su gélida compostura: se muerde el labio inferior con tanta fuerza que una gota de sangre cae sobre el cuaderno abierto. La minúscula gota se estrella contra la blancura inmaculada de una página en blanco. Maia retrocede, gira sobre sus talones y sale corriendo en dirección a la puerta.

La huida hace estallar un coro de risas que retumba en sus oídos durante el trayecto entre el aula y un baño que encuentra al final del pasillo, pero nada –ni las lágrimas ni la urgencia– se aquieta hasta que se encierra en un cubículo y se derrumba sobre una tabla salpicada. No siente nada, ni siquiera la humedad que atraviesa la tela cuadriculada del uniforme. En los últimos días su cuerpo tomó las riendas de todas sus decisiones: alcanza con algo inesperado, por más mínimo que sea, para que salga disparado hacia un lugar seguro. Apenas un minuto después, la puerta del baño se abre. Maia despega los pies del suelo, contiene la respiración y no responde cuando la llaman, aunque reconoce la voz de su madre, que se había negado a irse hasta verla sentada entre sus nuevos compañeros.

—Acá no está —la escucha decir.

Los pasos de un par de mujeres montadas sobre tacos de aguja se alejan por el pasillo. Aun así espera unos segundos antes de empujar la puerta del cubículo con un pie que deja tatuado sobre la madera recién pintada. Del otro lado, silencioso, inmóvil, apoyado contra la pared de azulejos blancos, está Tino. Un menú esquizofrénico de posibles reencuentros desfila en sus miradas. Hay de todo: furia y amor, desconfianza y deseo. Siempre así, en combo, con combinaciones explosivas que los dejan suspendidos en el silencio. Por fin, en un arranque de valentía, Tino se obliga a arrancar con un puñado de palabras intrascendentes.

—Te manchaste la camisa —dice, con la mirada atrapada en el corpiño que adivina debajo de la mancha.

Maia se encoge de hombros pensando en uno de los tantos rezos con los que fue criada (*Por tu culpa, por tu culpa, por tu putísima culpa,* había murmurado en la misa en la que velaron a su papá, mezclando el insulto con la devoción de los fieles, sin dejar de mirar al Cristo crucificado a los ojos). Fascinado y perplejo, Tino no deja de mirarla, seguro de que va a evaporarse si la suelta. No saben que uno es el espejo del otro: para los dos el mundo es un abismo en el que ya nada es seguro. Maia se arranca un pellejo del labio con el ceño fruncido. Recién ahora se da cuenta: Tino no sabe lo que pasó. Sonríe de pronto, con lágrimas en los ojos.

–Sí, bobito, no soy un espejismo, soy yo.

Está mortalmente triste. Los instantes de felicidad son tan raros que funcionan como saques de una euforia desmedida. Tino le devuelve la sonrisa, encandilado por frases como esa, enamorado de su locura, de que pase de la comedia al drama sin aviso y de que sea así: inteligente y boba, ligera en la trama, sólida en las atmósferas, turbia en el tono, firme en la dirección, chispeante, traviesa, un caleidoscopio que se reinventa frente a sus ojos...

–Nos mudamos: ahora voy a vivir acá.

–¿Cómo acá?

–Acá, bobo. En la quince de La Brava.

–¿Cuánto tiempo?

–Qué sé yo. Para siempre. Vamos a comprar una casa. Su voz tampoco es la misma: el dolor le arrancó la liviandad, pero también el brillo.

–¿No leés los diarios, vos? ¿No mirás la televisión?

Tino niega dos veces, todavía enmudecido.

–Dibujitos –susurra.

Su voz es apenas un hilo que se quiebra antes de la última sílaba. Humillado, sin poder confiar ni en sus cuerdas vocales, cierra la boca y espera la estocada final con absoluta sumisión. Maia se arranca otro pellejo, lo apoya en la punta de su lengua y lo mastica despacio, saboreándolo como una caníbal.

–¿Sólo dibujitos mirás?

Hay algo nuevo en su voz, algo que se llama cinismo pero que Tino no conoce todavía.

–¿Te doy un consejo?

Se encoge de hombros, vencido.

–No te acerques a mí. Estoy muy enojada.

–¿Por qué?

–Porque sí. Si te puedo lastimar, te voy a lastimar.

Los sucesos de la última semana catapultaron a Maia hacia la cima del cinismo infantil: vive rumiando frases hirientes. Nada le produce más placer que una estocada exitosa.

–No somos amigos, vos y yo. Nunca vamos a ser amigos.

–¿Por qué me tratás así?

–Vos estás de un lado y yo del otro –dice Maia.

Tajeándole el alma con la sonrisa de una reina que le perdona la vida al más idiota de sus súbditos, lo quita del medio con un empujón y camina hacia la puerta. La embestida de Tino la toma por sorpresa, desde atrás. El forcejeo hace rebotar los cuerpos contra las paredes con toda la fuerza de la rabia que tienen adentro, masticándolos como un parásito. Los arañazos de Maia son ataques de una bestia herida, y los golpes de Tino redoblan la apuesta: se queda con un puñado de pelo rubio al tiempo que una patada entre las piernas lo hace caer de rodillas. Entre gritos y aullidos de dolor se revuelcan trenzados como perros en celo y salpican los azulejos blancos con manchas de sangre que convierten la pared en un cuadro de arte efímero antes de que la puerta se abra y varios pares de brazos los separen, sosteniéndolos para que no vuelvan a pegarse uno contra el otro con la fuerza de un imán. Todos gritan: la directora para que se callen, la madre de Maia al ver sangre en la boca de su hija, que grita como una desquiciada:

–¡Te odio! ¡A vos y a tu familia!

Dos preceptores los separan. Sacuden a Tino para que salga del estado de trance que lo tiene enloquecido, pegándole golpes al aire... Recién en la oficina de la directora, mientras le ponen azúcar en el corte que tiene en el labio y un algodón en la nariz para que deje de sangrar, entiende el sentido de los últimos gritos de Maia. Levanta la mirada hacia Bruno. Está parado en la puerta, pateando un zócalo para atajar la impotencia de verlo así de nuevo, con la cara llena de arañazos.

Acostada en la camilla de la enfermería, con un ojo cerrado y media ceja afeitada, Maia deja que un médico le inyecte una aguja para darle un segundo punto encima del párpado. Quince minutos, después recibe un mensaje de texto:

Ahora somos iguales.

Todavía anestesiada, marca de memoria el número de Tino.

–Nunca vamos a ser iguales, vos y yo –dice cuando él la atiende–. Yo sé que mi papá era un hombre bueno. Yo sé que está bien muerto. El mío no se anda escapando por ahí. No es un cobarde.

Y corta.

Minutos después, interrogados por separado en presencia de sus madres, los dos afirman lo mismo.

–Yo la empecé –dice Tino.

Maia repite esas exactas palabras en otra oficina. Al no encontrar un culpable que pueda ser expulsado, reticentes a perder dos clientes que nunca van a atrasarse con el pago de una cuota, las autoridades del colegio aceptan olvidar el incidente con la misma rapidez con la que limpian los azulejos ensangrentados del baño. La única condición es que Maia acceda a ir a la otra división, y que los dos prometan mantenerse alejados.

20

Esa noche Bruno lo encuentra en uno de los baños inmaculados del showroom, acurrucado en una bañadera vacía que nunca fue usada, con la cara deformada por la rabia, el llanto y los golpes. Con un ojo cerrado por el avance de un hematoma violeta que no para de latir y el labio tan hinchado que toda sílaba duele, aprieta en una mano la carta del Héroe Elemental que le regaló Maia la única noche que durmieron juntos. Bruno no se anima a tocarlo. Imagina el cuello de Maia entre sus dedos, pero ni siquiera eso lo calma: no aguanta la impotencia de verlo así.

–No voy a dejar que se te acerque más, te lo juro.

La voz de Tino sale tan ahogada que apenas se le entiende:

–Cagón.

–Ya la vamos a agarrar.

–Es un cagón.

Bruno entiende de golpe que la bronca no es con ella, es con él.

–Se fue para salvarse él.

Se arrodilla frente a Tino y respira hondo, mareado por el vértigo que le producen las pocas acciones que realiza por propia voluntad, sin recibir una orden, sin la tranquilidad de estar cumpliendo su trabajo a ciegas, como se debe.

–¿Querés saber por qué se fue?

Tino se encoge de hombros, pero le es imposible negarse.

–Un par de semanas antes de que se fuera lo empezaron a llamar. Le exigían que hiciera un par de cosas que él no quería hacer. Le decían que no tenía alternativa.

Bruno hace una pausa, seguro de que es mejor el terror de saberse observado antes que la certeza de que Razzani sea un cobarde.

–¿Te acordás del día que usaste pantalones largos por primera vez? ¿Del primer día de clases? ¿Que di vuelta el auto y volví a tu casa? ¿Te acordás de cómo lloró Juana? ¿De cómo me gritaste para que te llevara al colegio? Bueno... Aquel día lo llamaron.

Tino pregunta quién lo llamó.

–No importa quién. Sos chico para saber toda la historia. La otra parte te la vas a enterar cuando seas grande, pero hay cosas que ya podés saber... Y una es esta: tu papá no es ningún cagón. Lo hizo por ustedes.

Respira hondo, la mano encima del arma que lleva en la cintura. Acariciar la reglamentaria es lo único que lo tranquiliza.

–Le dijeron que los pantalones largos te quedaban bien. Aunque tuvieras que arremangártelos... ¿Te acordás que te quedaban largos? Le dijeron que era provocador que a Juana le hicieran dos cajitas.

Tino se olvida del dolor y entreabre el ojo que tiene cerrado.

–Tu papá me llamó, me preguntó a dónde estábamos. Le dije que íbamos camino a la escuela. Preguntó si vos tenías pantalones largos, si Juana llevaba dos trenzas. Le dije que sí.

Bruno habla despacio, sin mirarlo, transportado a esa conversación en la que escuchó el miedo en la voz de Razzani por única vez. Tino apenas respira, recuerda cada detalle de aquel primer día de clases que, sin explicación, pasó encerrado en su casa.

–Nunca lo había escuchado tan nervioso. Me dijo que volviera a su casa, que no los llevara al colegio y que no salieran de la casa en todo el día. Dos días después le hicieron lo mismo con Sonia y tu mamá. A la salida de la universidad, del psicólogo, de los eventos de caridad, de los cursos de pintura... Llamaban y hablaban de cada uno de ustedes. Los seguían, todo el tiempo.

Bruno se calla, a punto de contarle que además de los llamados, una semana más tarde tres tipos de traje, armados y con una serenidad glacial, se subieron al auto de Chia en un semáforo. Le salieron al cruce a la salida de la peluquería, con tanta velocidad que el guardaespaldas no alcanzó a cerrar los seguros. Los tuvieron dando vueltas una hora, escuchando grabaciones de una docena de conversaciones intrascendentes de sus hijos. La dejaron en un cruce de autopistas con un único mensaje.

–Dígale a su marido que se le va a terminar el tiempo.

Al auto y al chofer los dejaron intactos en una esquina céntrica. Tampoco le cuenta a Tino las consecuencias que tuvo la denuncia de una campaña de intimidación que había hecho Razzani al día siguiente: buscó apoyo en el Poder y en La Fuerza, pero le habían cerrado todas las puertas. La

gran impotencia de Razzani no era por el peligro, sino aceptar en silencio que así eran las reglas del juego: siempre le
habían gustado los peces gordos, los mismos que ahora se
le volvían en contra.

–Con eso lo agarraron, con los llamados. Pero no lo hizo
por él... Lo hizo por ustedes.

Resume Bruno, simplificando la historia con el único objetivo de transformar a Razzani en un héroe, aunque sea en
el recuerdo de su hijo. Lo que calla es lo que más terror le
produce a Tino: que ahí afuera haya gente capaz de hacer-
les eso. Y que no tengan cara ni nombre.

Despierta con la boca seca y una puntada de dolor en la cabeza. Camina hacia la cocina, descalzo, sin encender ninguna luz. En la penumbra ve a Chia sentada contra el sillón
que da a la bahía, el cofre de oro blanco sobre las piernas.
Pasa los días mirando el horizonte, perdida en algún rincón
de su cabeza, del pasado o del miedo. Aferrada a ese cofre
como si fuera una brújula, posterga una y otra vez la ceremonia en la que van a liberar las cenizas. Cuando cambie el
viento la hacemos, repite cada vez que alguien le pregunta
si está lista. Su fragilidad es tan extrema que nadie se anima
a insistir. Por el contrario, la tratan con más cuidado que a
los niños de la casa, por temor a que un mínimo disgusto
precipite el derrumbe. Sentado en la barra de la cocina con
un vaso de leche en la mano, Tino mira la sombra de la que
fue su mamá. No escucha a Paraguay hasta que lo tiene al
lado, sirviéndose otro vaso de leche sobre dos cubos de hielo,
como si fuera un whisky.

–Es culpa de los yawaris –dice el hijo de Irma, moviendo el vaso en círculos para que los cubitos se golpeen unos con otros–. Eso diría mi abuelo: que todo es culpa de los yawaris.

–¿De quién?

–Los espíritus que viven en las cenizas de los muertos.

Su voz es un susurro cargado de respeto y temor por la certeza de que los yawaris están a pocos metros de distancia, escuchándolo. Creció en una tierra dominada por leyendas. Fascinado por aquello que no puede verse pero está ahí, marcando sus destinos.

–La tribu de la que viene mi bisabuelo decía que cuando alguien se muere tiene que ser liberado por sus descendientes y entregado al universo. Los que no liberan a sus muertos quedan paralizados... se contagian de la falta de vida y quedan como tu mamá, quietitos, sin ganas de nada...

–¿Qué hay que hacer? –pregunta Tino.

–¿Para qué?

–Para liberarlos.

–Deshacerse de las cenizas y bailar.

–¿Bailar?

–Frente al fuego o el agua.

–¿Cuánto tiempo?

–Todo un día. O toda una noche. Hasta que las piernas se doblen de cansancio. Cuando mi abuelo era joven los huesos de los muertos se quemaban, trituraban y guardaban en calabazas selladas con cera de abejas que tiraban al río.

Es lo único que recuerda: los cuentos de bailes que duraban la noche entera. Las imágenes concretas de huesos triturados, la calabaza y la cera que los aislaba para siempre, aunque olvidó hace años que la ceremonia es una forma de aceptar la desaparición y asimilarla como un recuerdo. Hace fuerza para acordarse de los detalles, pero no recuerda que para los Mbyá-guaraníes del Guairá el nombre del liberado no debe ser pronunciado nunca más, aunque se permitan llorarlo.

–Con el tiempo dejaron de calcinar los huesos de sus muertos en la hoguera y de guardarlos en las calabazas, pero seguían tirando las cenizas al río. Eso es lo que ustedes no están pudiendo hacer. Y mientras no hagan eso...

La frase de Paraguay queda suspendida sobre la imagen de Chia, que apenas pestañea. *Muertos en vida por el hechizo de los yawaris,* piensa Tino. Un escalofrío le recorre la espalda. Por fin, después de meses, tiene un enemigo concreto contra quien combatir.

21

El día siguiente amanece cargado de agua, sin una pizca de viento y con una humedad gelatinosa contra la que hay que luchar a cada paso. Tino falta al colegio y pasa el día con Bruno: el showroom lo asfixia y le entumece los músculos por la sensación de caminar en un escenario sin público. Sube a la Mitsubishi con la mochila colgándole de un hombro y no dice una palabra durante el recorrido que los lleva hasta la puerta del colegio. Mientras esperan que el timbre anuncie el final del día, Bruno lo observa por el espejo retrovisor, seguro de que esconde algo. El timbre y la explosión de alumnos que minutos después inundan la escalera que da a la calle lo distraen, sobre todo cuando ve a Maia abriéndose paso sin levantar la mirada del suelo. Tino también la ve. Y ella a él: podrían verse en un estadio repleto de gente, tan violenta es la química de su atracción y rechazo. Maia tiene las marcas de un par de golpes en la cara, le duele cada músculo del cuerpo igual que a él. Avanza unos pasos, pero al ver que Tino sube la ventanilla, escudándose detrás de un vidrio polarizado, sigue de largo sin saludar a nadie. En los treinta minutos que tardan en llegar a Maldonado, Tino aprieta la mochila que lleva sobre las piernas juntando coraje. No abre la boca cuando su hermana le pregunta qué le pasa, ni cuando Paraguay corre hacia la camioneta a la salida de su escuela, se sube y mira a Tino, que asiente y baja la mirada hacia la mochila.

Ahora son dos los que esconden algo.

Bruno los observa por el espejo retrovisor: el secreto que apenas pueden ocultar los une, están más parecidos que nunca. Cuando Tino le pide que pasen por *La Serena* a buscar a Sonia, dobla hacia la costanera sin oponer resistencia. Hace semanas que no lo ve tan animado, no piensa convertirse en un obstáculo.

En *La Serena* todavía se reúnen diariamente Arnaldo, Marlene y doce desconocidos que pasan largas horas entre papeles y legajos. Ya no son los testaferros, presidentes de empresas y amigos personales de Razzani que poblaron el aeropuerto de Punta del Este aquel primer fin de semana. Los que quedan resolviendo la maraña de escrituras cruzadas, actas, documentos y contradocumentos son sus abogados y apoderados, con la orden expresa de no salir de la casa hasta conseguir lo acordado, aunque en muchos casos los deseos de unos y otros no sean compatibles. Rufino y Arnaldo son los únicos defensores del círculo íntimo de la familia, misión que camufla torpemente el verdadero objetivo de salvataje personal, aunque necesiten de Sonia para sellar con una firma, ante escribano, cada movimiento.

Cuando Tino entra al escritorio, encuentra a Sonia firmando en silencio las actas que le ponen delante. Levanta la mirada hacia el Inazzar salvaje: no termina de entender cómo todos los objetos de su padre siguen ahí, cada uno en su lugar, ahora que él no está. *Sería más fácil que todo deje de existir al mismo tiempo,* le dijo su mamá esa mañana, revisando una libreta con anotaciones de Razzani. Tino aprovechó la distracción para esconder el cofre que estaba sobre la cama, apoyado sobre un almohadón de seda. Antes de que su madre se diera cuenta, ya estaba a bordo de la Mitsubishi alejándose por la ruta interbalnearia.

Arnaldo apoya otro folio de documentos frente a su hermana, que desiste de leerlo en la segunda página.

–Es un poder que me habilita a firmar en tu nombre... Para liberarte ahora que se acerca la fecha del parto.

Le señala con un dedo el lugar preciso de cada firma. Tino mira a los abogados y testaferros, la frialdad con la que Marlene prepara cada documento, los cruces de miradas... Intuye que van a pasar años antes de que empiece a entender los verdaderos motivos que los trajeron hasta acá. Pero ya no le importa. Lo único que le preocupa es combatir a los yawaris, y para eso necesita reunir a los descendientes.

–Sonia.

Su hermana no lo escucha, aturdida por su propia agitación. Apenas puede disimular las muecas de dolor que le contraen el ceño y le nublan la mirada.

–Vas a tener que esperarla unos minutos –dice el alemán, apoyado contra el marco de la puerta.

Días después de que su embarazo entrara en el octavo mes, la convenció de mudarse los tres a *La Serena,* como en los buenos tiempos. Sonia aceptó solamente para evitar el agotamiento de aparentar que todo estaba bien frente al resto de su familia. Bruno se encerró en uno de los cuartos de servicio para no verla salir del showroom en compañía de esos dos cerdos a los que planeaba asesinar en el momento menos pensado. Aguantó en silencio hasta que los tres cruzaron la puerta de entrada, aunque todos escucharon el golpe que le dio a la pared del cuarto de servicio, atravesándola de lado a lado con un puño sangrante. Tino lo vio aparecer del otro lado del agujero: por primera vez en la vida, los ojos de Bruno le dieron miedo.

—Dino —le dice al alemán, sin darse cuenta de que sus ojos imitan a la perfección la locura y la violencia de su maestro—. Acordate, por si estás pensando en lastimar a mi hermana... Yo algún día voy a ser grande.

Ignorando que la ceremonia ya empezó y que la descendencia, sedienta de ser liberada, se alinea para combatir a los yawaris, Tino cruza el hall central de *La Serena* y se detiene al ver a Sabrina que baja la escalera con una bikini rosa y un shorcito de jean nevado. Hace semanas que vive ahí, dedicándose exclusivamente a nada mientras su madre se ocupa del futuro de ambas. *Qué bien le queda mi casa,* piensa Tino, viéndola flotar en dirección a él con la ingravidez de un hada. Sabrina lo saluda con un beso que no tiene nada de casto, roza la comisura de su labio con la de Tino antes de presentarle su renuncia.

—Quería explicártelo en persona: no puedo seguir siendo tu secretaria. Prefiero no trabajar hasta que sea mayor de edad. Y entonces me voy a ir de viaje, el mundo de los negocios no es lo mío.

Tino asiente al final de cada palabra, tan hipnotizado por

su bikini y su shorcito como por la renuncia a ser suya, su secretaria, fascinado porque se pueda renunciar así a ese mundo del que abusa sin culpa, hasta que algo tan insignificante como la mayoría de edad le permita levantar vuelo. Siente el peso del cofre en la mochila que lleva colgada sobre la espalda. Imagina a los yawaris ahí adentro, bailando enloquecidos, enmudeciéndolo como al resto de su familia mientras le arrancan las ganas de vivir...

–¿Querés venir a la playa? Tengo algo que hacer –escucha que dice alguien; él mismo.

Escudado en esa única meta, Tino hasta se anima a insistir:

–Me gustaría que vinieras.

De pronto se da cuenta: no es él quien insiste, su padre podía seguir dando órdenes desde el polvo. Y la certeza, lejos de angustiarlo, lo hace sonreír.

Ahora que está a punto de irse, Paraguay mira el espejismo en el que vivió los últimos meses con ojos nuevos. Intuye que con los años va a recordarlo como un paréntesis de irrealidad con un único dato concreto: la cicatriz de un perdigón en el muslo izquierdo, su trofeo, su estigma, la marca de haber sido, también él, parte de la historia. Respira. La manito de Juana en la suya lo hace mirar hacia abajo con una punzada de nostalgia por esos brevísimos instantes en los que hizo contacto con algo de este lado del mundo. Aunque no sean más que eso, instantáneas, Paraguay no tiene idea de la fuerza con la que los detalles de esas imágenes van a imprimirse para siempre en él.

–¿Nos vamos a volver a ver?

La voz de Juana, arrastrada por el viento, se desvanece antes de llegar a la última palabra. Paraguay le miente, con la certeza de que es una despedida. Un silbido los hace girar hacia la ruta interbalnearia. Tino les hace señas para que se apuren: tienen minutos antes de que Bruno se dé cuenta de que no están jugando en el jardín y empiece a buscarlos. El ritual empieza antes de cruzar la ruta, en el momento en que los cuatro quedan enfrentados.

–¿Vos quién sos?

–Paraguay... ¿y vos?

–Sabrina.

–Yo soy Juana –dice la menor, por el puro placer de invocar el poder de su nombre.

Tino sonríe, disfrutando la agonía de los yawaris, y dispara las dos sílabas del suyo antes de emprender la marcha hacia la playa. Una ráfaga que viene del mar se abre paso entre dos dunas para llegar hasta ellos, cubriéndoles la piel con una finísima capa de arena y sal. Del otro lado de las dunas, kilómetros de playa desierta se extienden hasta el horizonte. Tino corre hacia la orilla y no se detiene cuando el agua le toca los pies. Está tibia y revuelta. A pocos metros de distancia, Juana y Sabrina torean una ola, esquivándola por debajo y reapareciendo en medio de la espuma. Juana con su uniforme de colegio pegado a la piel como un traje de neopreno. Envalentonados por la euforia que produce el mar, con los pelos arremolinados por un viento cada vez más enloquecido, Tino abre la mochila y saca el cofre de oro blanco. Al levantar la mirada ya no sabe si los ojos de todos están vidriosos por el agua, por la sal o por el miedo. Saben que una travesura es otra cosa: esto es mucho más que eso, tanto que el tiempo avanza sin tocarlos, mientras ellos, suspendidos en el movimiento microscópico del dedo índice de Tino, siguen la trayectoria que abre los dos seguros con incrustaciones de esmeraldas y empuja la tapa del cofre. Un manotazo del viento, que se zambulle en la cueva y los empuja a salir, da inicio al baile de los yawaris: entran a escena abrazados a las cenizas, haciéndolas girar en el aire, empujándolas en todas direcciones, montadas sobre las ráfagas que van y vienen, entre piruetas espiraladas que se despliegan como un abanico sobre sus cabezas, llevándose las cenizas hacia todas partes al mismo tiempo hasta que, apenas unos instantes después, el cofre está vacío.

Los cuatro tienen el agua hasta la cintura. Hipnotizados, el baile los fue arrastrando mar adentro. Tiemblan, empapados, sin animarse ni a respirar. Sabrina, Juana y Paraguay miran el cofre que Tino cierra con delicadeza, de espaldas a una ola que los dobla en altura y va directo hacia ellos con la boca abierta. El golpe los agarra desprevenidos, tragándose a los cuatro. Los sacude en las entrañas del mar hasta que pierden las coordenadas del tiempo y el espacio. Con los ojos abiertos, Tino golpea la cabeza contra el fondo y recién ahí entiende que el arriba es abajo: suelta el cofre para agarrar un brazo de Juana y una pierna de Paraguay y patalea en la dirección contraria. Atraviesa la superficie riéndose, igual que Sabrina, que se ahoga con su risa, acostada panza arriba en la orilla.

–¡Ahí viene otra!

En pie de guerra, los cuatro juntos arremeten contra una

bestia más grande que la anterior, listos para cortarla al medio. Sonia sube el médano más alto, ayudada por Bruno, y ve a sus hermanos con el agua hasta la cintura, jugando entre las olas como si nada pudiera lastimarlos otra vez.

Esta primera edición de *La furia de la langosta* de
Lucía Puenzo terminó de imprimirse en Grafica
Veneta S.p.A. di Trebaseleghe (PD) de Italia en
febrero de 2011. Para la composición del texto se
ha utilizado la tipografía FF Celeste.

This book is printed by the sun

The first carbon-free
printing company in the world